為什麼讀書？

Pourquoi lire ?

偉大讀者的必然與非必然

夏爾・丹齊格
（Charles Dantzig）著
閻雪梅 譯

名家推薦（按姓氏筆畫順序）

方隆彰（作家、《嚮往美感的讀書會》作者）

身處過度重視「利得」的當代，更需要「無所為而為」的滋潤，讓心靈可以留有一抹空白，而「讀書」似乎正是最適當的媒介；緩緩咀嚼本書作者細緻分享自身的經驗與反思，或許你會在其中發現或重拾讀書與自己生命的親密連結。

石芳瑜（永楽座書店店主）

為什麼讀書？並且是讀文學？不為知識，而是比知識更重要的——類比。類比是統合了智力與情感的理解方式。光是這句，就打動我心坎。有時我會想告訴那些不讀文學的人，他們的人生多遺憾，不妨聽聽丹齊格各種有趣的說法。至於嗜讀者，請繼續漫無目的地享受你的閱讀。

李金蓮（前中國時報開卷版主編）

我一直想探究人在面對一本書時，之所以願意一頁一頁翻下去，這持續的翻頁動作所隱含的複雜的內在慾望，究竟是怎麼一回事。丹齊格給了解答，尤其他指出閱讀文學乃是「讀者未泯的童心」。啊，我以為閱讀令人的靈魂太快老去，卻從未察覺到一顆未泯的童心呢。

李偉文（作家）

真正的閱讀是無目的性的閱讀，但是這種無用，方可成為其他人的大用；閱讀使我們從紛亂的世界中隱身，回到與內在自我相處的美好時光。

果子離（作家）

讀書是偉大的事，因為它毫無用處，但不閱讀，就像走在人生路上，用肺呼吸而讓大腦窒息。丹齊格以辛辣幽默的文筆，或正或反的論述，拆解關於閱讀行為被附加的虛浮裝飾，還其本來面目，而這面目，簡樸到只剩下一顆喜悅自足的心，卻像土地一樣豐饒，宇宙般浩瀚。

林德俊（小熊老師）

本書作者為我們提供了一種創造性閱讀的典範，且是特別有個性且又有見地的那一種。理想的讀者，總能在書裡找到自己的聲音，閱讀之幸福，莫過於此。

張天立（讀冊生活創辦人）

大部分人的問題是缺乏思考能力，因而缺乏閱讀。正確的次序應該是因為我喜歡思考，不斷好奇地問為什麼或者為什麼不，所以我大量閱讀，進而更加鍛鍊我的思考能力。光有學歷而沒有思考能力者，其實就是書呆子，馬英九和江宜樺就是最好的例子。

麥成輝（香港皇冠出版社總經理、香港青馬文化出版社社長）

讀書不需要任何理由，但是總是有目的；儘管當初動機隱晦不明，閱讀之後，總是會產生一些內心變化。這本書不是教人如何讀書，更加不是勸勉你應該開始讀書，它是寫給真正愛閱讀的人看的。閱讀，可以帶來更深刻之生命意義，這個福澤，只有真正愛書人，才能領受。

葉美瑤（新經典文化總編輯）

閱讀是一種戀愛體驗，一個讀者識得閱讀之美，那將是他人生中最關鍵的初戀。多數人不會跟初戀相守到老，但那印記不會消失，它會帶愛過的人到更遠的地方。

這位讀者也是這本書的作者丹齊格去到了那麼遠的地方，當他道出他所見的風景，我們便能感受他的初戀之強烈，他推崇莒哈絲一揮而就的小說、嘲笑《暮光之城》、見證用功讀了普魯斯特的熱情，這些都讓我看到一個熱情愛人擁護自己真愛的方式。

最後，這段話深深打動我：當我們只是瀏覽一本書時，它不會對我們做出奉獻，我們必須全身心地投入其中。這一點，也能註釋真愛。

劉虹風（小小書房店主）

你為了什麼而讀書？這一位偉大的讀者，思考、羅列了六、七十種閱讀的理由、樂趣、癖好、讀者的樣貌，同樣身為讀者的你，一定會大感驚嘆！這是一本你時時都想要「qoute」的書，精準、迷人、充滿反覆辯證的閱讀思考，關於讀與不讀之間，我從中獲益良多。

鄭俊德（華人閱讀社群主編）

其實讀書沒有用!!只為了考試比誰記得多，電腦記得比你更清楚。只為了前途，許多老闆的學歷其實也沒太高。

但如果你需要人陪伴，需要一個出口，需要前人傳遞智慧，找到原來的自己。那麼，翻開書吧!!你要的在書裡都找得到!!

鄭國威（泛科知識總編輯暨共同創辦人）

這本書先幫我們找好了閱讀的理由，也是通往許多其他好書的前菜，以文學家的精妙文筆為餐具，法式諷刺為香料，輕而易舉地讓書胃蠕動。本書雖不談方法論，但也不是一般散文，這種知識密度高但又有趣極了的書，不讀倒是需要理由自我說服。

駱以軍（作家）

當人們不讀書了，那些詩或小說裡雷電閃閃、雲層下的暴風雨、銀色月光海，它們將像枯癟豆莢。讀書使我們不孤獨，使我們想像的時光河流無比延伸。

這作者太有趣了，他告訴我們可以「為了手淫而讀書」、「為了英國女王而讀書」、「為了再現青春而讀書」、「為了自我反駁而讀書」……

那使我們暈眩「原來讀書是像上帝創造宇宙星辰那麼無盡、無限、萬花筒寫輪眼一般的事啊！」

追尋天堂

——迦勒底神諭

目次

003 名家推薦
014 學讀書
021 讀書的年紀
030 自私的讀者
036 讀書不會改變我們
038 為了（無須先認識自己再）發現自我而讀書
042 書神
043 為了被言說而讀書
046 隱形的芭蕾舞團
048 閱讀是再創作
050 為了不令逝者長眠而讀書
054 只因愛而讀書
057 為了憎恨而讀書
062 滴里嘟嚕！尖端小說
065 讀者的假定被動性
067 順從的女讀者
069 為了追過半本書而讀書
070 為書名而讀書
074 為了不再是英國女王而讀書
077 閱讀權力

079 閱讀空白
082 為了手淫而讀書
092 為了自我反駁而讀書
101 為了形式而讀書
103 讀書時間
107 讀書地點
111 為了黑暗而讀書
113 為了學習而讀書
118 為了自我安慰而讀書
121 為了健康而讀書啊啊
123 為了美德而讀書哦哦
124 為了享樂而讀書
126 為了孤立自我而讀書
133 為了知道閱讀並不能改善什麼而讀書
137 樂趣之後
138 為了已經讀過而讀書
139 讀書的危險
141 為了不逃避而讀書
144 贊成閱讀的讀者的天真

145 為了交友而讀書
146 閱讀戲劇
152 為了我們之間津津有味的讀書樂趣而讀書
155 讀者是一只裝句子的袋子
159 讀物是紋身
172 為了發現作家未說的話而讀書
179 為了惡習而讀書
187 反理性讀書
189 麵包皮讀物
193 閱讀壞書（吸血鬼眾生相）
204 秘密與奧秘
212 賭博式讀書
214 閱讀古典作品
217 閱讀作者沒寫的東西
222 為了再現青春而讀書
224 為了改變時間而讀書
227 為了不讀（傳記）而讀書
230 讀書而無視作家
238 閱讀皺紋

240 在書本以外閱讀
245 在飛機上讀書
252 在海灘上讀書
258 在螢火蟲的光亮書店裡讀書
269 為了把書放在桌子上而讀書
274 讀書如花朵綻放
277 閱讀書的細枝末節
279 作家讀書
286 高聲朗讀
296 讀訪談錄
306 以朋友的身分讀書
310 讀者是繼承人
313 他們的讀物
314 誰讀代表作？
316 為了從麻木不仁中清醒過來而讀書
321 在紙張以外的其他介質上閱讀
325 為什麼不讀書？
336 如何讀書？
337 書
343 圖片來源

學讀書

Apprendre à lire

我為什麼讀書？我讀書如同走路，或許吧。而且我也會一邊走路一邊看書。但願我能向您講述自己因此而經歷的無數次巧遇！巴黎市不只一台停車計時器曾激動地聽到我向它說「對不起，先生！」因為我邊看書邊走路地撞上了它。儘管如此，不要由於事情如走路或讀書般無意而為就不對其進行思考。自發性無法解釋一切。還有無意識殺人呢。

「自發」。最初，我曾使用「自然」一詞。然而，閱讀並不比行走更自然。讀書甚至是人類最具後天習得性的行為之一。有時候，閱讀困難重重。並非所有人都能輕而易舉學會讀書。在這方面展開調查可能分外有趣。那些偉大的讀者都是輕鬆地學會讀書的人嗎？就我自己而言，我輕易地並且幾乎即刻就學會了閱讀。老師先是讓我重複B、A，我這樣 BABA地重複了幾天之後，突然一切都豁然開朗。我學會了認字看書。這也許是由於我的起步比較晚：在小學一年級，我當時五歲。之前那一年，我一直生活在惱怒之中，因為身邊大部分小朋友都已經在幼稚園畢業班裡學會了讀書。「為什麼沒有人教我，教我看書？」我不斷詢問憂心忡忡的父母，他們不做任何回答，只告訴我：「小學就會教你讀書的方法，你上小學就學得到了。」而我呢，用手指著海報、看板、雜誌封面等等我見到的一切以文字書寫出來的東西問道：「這上面寫著什麼？」我覺得自己受到了極不公正的待遇。我認知世界的起步時間被人延誤了。

五歲的孩子是很聰明的，而且純真。對我來說，文字將幫助我理解周圍發生的事情。它們當眾發生，卻又神秘得不可思議。無論發生的原因如何，所有這些事情之間的關聯是什麼呢？這一切是怎樣聯結起來的？我對文字予以絕對的信任，相信它們可以告訴我問題的答案。然而我不相信話語，尤其是我父母的話。我在承認話語的奧妙之前就已經感受到其中的權威，所以我一直抱持懷疑的態度。我與權威之間總是存在著問題。即使到現在，也沒什麼比所謂的權威論據更讓我憤慨了。眾所周知，權威論據就是藉助某個假定權威，迫使提問者閉嘴。它們與理性對立，與絕妙的理性對立。絕妙，因為它建立在信任的基礎之上。而權威論據則建立在蔑視之上。與我對權威的質疑相對應的，是我對書面文字近乎奇異的信任。一個句子，在那時候的我這個小野蠻人看來，就是一把鑰匙。而且，一個句子的樣子也很像一把鑰匙。黑色的，長長的，句中的軟音符（ç）看起來像鑰匙鋸狀齒條上凸起的齒緣，我不知道它的學名是什麼。而這就是詞語的附加功用，詞語可以精簡句子。由我家的那些書櫃構成的一串鑰匙向我敞開了知識寶庫的大門。文字是抽象而無私的，它並不是以收穫為目的才做表達。

我自問是否無意中參透了什麼是文學。人們對文學的一個定義，就是它或許是唯一不以有用為目的的文字形式。我正是從這一點開始嘗試回答「為什麼讀書」這個問題：為什麼閱讀**文學**作品？

我們可以閱讀歷史回憶錄、政治綱領、天文學專著、橋牌教學，所有這些都是為了獲取知識。而知識微不足道，因為所有人都能取之以自用。很多野蠻人或笨蛋的腦子裡也塞滿了知識。比知識更加重要的——我們應該承認——是類比。文學，尤其虛構文學，是一種類比的方式。或者更確切地說，是一種透過類比進行理解的方式。再進一步準確地說，它是一種透過類比進行理解的方式，不僅作用於智力，更訴諸情感。類比，情感。這正是它有別於哲學這種思維模式的地方，哲學以分析和智力為依據。

當然，正是這個情感的部分賦予文學獨特的魅力，以及危險。它可以像欺瞞孩子一般用意象欺騙我們。也可以幫助我們更快地理解事物，也許是哲學或心理學之外的事物。而這種對事物的書面的理解……書面的……我從來搞不懂「書面的」這個形容詞為什麼含有貶義。它與社會加諸精神事物的貶義如出一轍。但其實，在那微薄的一層所謂文明——或許不過是些餐桌禮儀——遮掩之下的社會，依然粗魯不堪。瞧，這就叫講道理。我不確信人們喜歡講道理。孩子一惹惱父母，他們就會認為他是個愛爭辯說理的孩子。說到這兒，還是「文學」和那些跟它相關的詞語。「這根本都是文學作品。」「別再編小說了！」-「這完全是首詩！」[2]可以想像，如果我敢用同樣輕蔑的口吻說「這根本都是豬肉」，會引起多大的公憤。屠戶和肉店工會說不定會告我，由此會引發電視辯論，而我將因此懊悔不迭。**他們有理由這麼做**。任何一個社會階層的人都不會厭惡自己所屬的階層。那些把文學的相關詞語用作貶義的人本來就應該為此感到懊悔；他們應該承認「書面的」這個形容詞很好。就我而言，我學到的幾乎所有好東西都來自書本。而我對世界的理解，或者說我對世界的些微理解，在我有了親身經驗之後，反而變得黯淡模糊。

我的整個童年都時常聽到這樣的話：「那你去花園玩吧！」我的家人並不認為讀書是不正常的事情，他們沒那麼庸俗。他們這麼說是為了讓我參加更多樣的活動。我當時只有一種活動：讀書。我有時去玩耍以取悅父母。在母親慈愛的目光下，我無比煩惱地推著一輛小車在一條粉筆畫好的路上玩。我認為自己那時候是一個憎惡作業的孩子，不管怎樣，我尤其厭惡這個作業：玩耍。我孩童時代的樂趣大多來自於書本，而不是遊戲，更別提體育活動了。我玩著小汽車的遊戲，然後，當父母對這種孩童行為感到滿意之後，我又重返我的極樂天堂：讀書。啊，這是我讀書的另一個原因，大概如此吧。讀書，遠比遊戲有趣多了。

1 原文"Arrête de faire du roman !"，「編小說」在法文中的引申涵義為：誇大事實，添油加醋。（本書中除特別說明，均為譯註）

2 原文"Tout un poème !"，其引申涵義為：這真奇怪（荒誕、不現實）。

讀書的年紀

L'âge des lectures

杜德芳侯爵夫人[1]曾在幼年時向同班同學宣傳無神論思想。一位神父被派去開導她。此人不是別人，正是那位布道神父馬西永[2]。他匆忙而來，因為他當時正在準備路易十四的葬禮悼詞，十年後他會宣講那篇悼詞。在長袍的窸窸窣窣聲響之後，他把自己與這位小姑娘一起關在房間裡。他們開始談話。她將受到怎樣的懲罰啊！那些善良的修女嬤嬤們驚恐地想著。馬西永走出房間。那幾位修女向他靠了過去。「她很可愛，」馬西永說。那真是一段迷人的歲月。（呃，對那五千人而言是這樣吧[3]。若發生在我家裡，就得罰去廚房把鍋碗瓢盆擦洗得鋥光瓦亮）有人或許會認為溫和派取得了勝利，然而並非如此，過去的革命力量依舊在那兒，如酒窖的藏酒一般新鮮，於是我們重新陷入宗教風暴的混亂。在太子港[4]，二〇一〇年地震的次日，一萬名耶和華的見證者，一萬人，在一位牧師的帶領下走出家門，在街上振臂高呼：「這是命中注定的！奢侈和淫蕩受到了懲罰！這是命中注定的！」宗教是窮苦人的復仇，災難是貧困者的慰藉。而幻象則為一切罩上了光環。正因如此，那些不幸的人，他們比其他人更加不幸，因為那些「其他人」，那些生活奢侈的人有財力離開所在的國家或重建自己的家園，甚至有些時候，他們的房屋因為設計精良而並未倒塌。不幸的人們在一些江湖術士的帶領下，自認為完成了復仇。我們的迷信需求難以得到饜足。

如同杜德芳夫人一樣，我曾經是個不信神的孩子。無要求，安安靜靜。天主教的教理課對我而言是塵世生活的煩惱，而懺悔，則是一幕醜劇。我先是焦慮接著又深感煩惱地湊合找到一些說得過去的罪孽。其實，我唯一真正憤慨的是做彌撒時自己還得經受同樣的折磨。幸好，我那虔誠篤信的外祖母送給我一個彌撒書的皮革封皮。我把一本書——《巴馬修道院》[5]——藏在那個封皮下。做彌撒時，我以無比的熱情讀著這本書，深深地感動了教堂裡的那些女士們。

我偏愛不屬於我那個年齡的事物。早在幾年前，我就在父親的書房裡走馬看花地瀏覽過魏崙[6]和繆塞[7]的作品，他們是我最早接觸到的兩位成年作家。每當有人送消遣讀物給我時，我並不因此感到高興。我還記得，那大約是在我十一、二歲的時候，有人送給我一本儒勒．凡爾納的書，我當時無比反感。那幕醜劇的景象，那本書的封面（一本借用了埃澤出版社[8]插圖的袖珍本圖書）現在仍然歷歷在目。他們還把我當作一個孩子！啊，啊，大人們，我看透了你們的陰謀！利用那些無害的讀物讓我們這些孩童變得更聽話！我有我自己的柏拉圖洞穴，做保護，它們是我家的那些藏書。世界上的全部財富就在那兒，觸手可及。我在探索，如同置身於數以萬計的石棺當中而無從選擇的考古學家。我只需打開它們，那些木乃伊就會對我說話，或者更確切地說，對我歌唱。那時的我對此十分敏感，我現在也是如此，敏感於一個我當時確確實實不知其名的東西。不妨稱它為思想的旋律。這也許是文學的另一個特性吧。

唉，青少年時期是一個困惑難解的時代，那曾經是我的一段痛苦時光（我現在仍然心有所感），我覺得自己關於世界的一切感性知識都消逝無蹤了。我不再懂得任何東西。正是那段徘徊困惑的經歷讓我覺得自己處於海地人的悲慘境遇。大約在十六歲時，我對天主教的信仰因為文學而出現了危機。對於我們這些將來會成為作家的人而言，許多行為的最初動機難道不就是文學模仿嗎？安東尼·伯吉斯

[10]的《拿撒勒人》是一部關於耶穌生平的作品，它對我產生了相當大的影響，我因而開始信仰上帝。我欣賞那部小說的兩點：節奏和反駁。小說的節奏生動有力，而且駁斥了一個已經被普遍接受的觀點。伯吉斯在書中提出，把耶穌塑造為瘦骨嶙峋的人是荒謬無由的；那位木匠的兒子能夠搬動大塊木料，又徒步走遍了巴勒斯坦，他顯然是一個身材壯實的人。伯吉斯和我都沒有把巴洛克時期的耶穌受難像考慮在內，因為那個時代的雕塑家們樂此不疲地描繪虛軟的雙腿和柔弱的手臂。我曾在很長一段時間裡喜歡辯駁，這是我的缺點，現在或許依然如初。這個興趣的唯一好處就是我既喜歡反駁他人，也樂於被人反駁。我始終認為論辯既是一門藝術，更是一種樂趣。與講道理相比，我更重視人與人之間的相伴相交。我們交談，我們辯論，我們爭吵，我們試圖說理，我們與某個人在一起。反駁我的人，就是我的兄弟。圖書的書背上或許可以印一條敬告讀者的警示語：「當心！過於遵循您的思路或興趣方向的讀物可能存在危險。」

正是在我們意志薄弱的時刻，閱讀有可能會變得危險。罪魁禍首既非書籍，也不完全是讀者本人，而是兩者的不幸結合。在意志薄弱時不應閱讀的書單上，我們可以做如下補充：

作者及作品名稱	何時禁止閱讀
費茲傑羅《裂痕》	精神抑鬱，已經瀕臨崩潰邊緣
希特勒《我的奮鬥》	身處通貨膨脹嚴重國家，已失業多年

等等等等，一切都有可能存在危險。生活是危險的。我們卻並不責怪它。

上初一時，我看到母親被一位老師訓斥，他對我閱讀波特萊爾[11]的詩感到憂心忡忡。我分外推崇《昔日的生活》，在一張海報的背面抄下那首詩並且貼在臥室的一個壁櫥裡。這是我和我自己之間的秘密。閱讀會透露某些猥褻的、矯揉造作卻不堪一擊的東西，我們不用把話說得太明白吧。我們讀書之所以有讀書的樣子，也就是說低頭安靜地專注於書頁，是因為這種與書本之間的促膝交談會把那些喜歡生氣的人排除在外，無論那些粗魯無禮之徒、缺乏教養的人和傻瓜笨蛋們是受了利益的驅使，還是純粹愛生氣。而我完全陶醉於波特萊爾那首詩的開篇詩句「我久居於宏闊的穹廊下／海上日光以千點星火挑染它」，這個意象十分接近勒洛蘭[12]的畫作所描繪的景象，我十分癡迷於畫家的那些作品，它們描繪了數位或歡欣或憂鬱的公主們在黃昏時分登上揚帆起航的船舶。三十年後，我謝絕了出席一個兒童電視節目的邀請，因為在那個節目中主持人會徵詢我對詩歌的看法。「除了下面這句話以外，我沒有別的什麼可說的：『讓孩子們接觸一些不屬於他們那個年齡的讀物。』」我這樣回答那位邀請我參加該節目的女記者。至於我，我在這方面的成長還不太差。孩子們有著較高水準的道德感，他們很擅長辨別是非善惡，邪惡言行誘惑不了他們，而且他們只對能引起他們興趣的東西興致勃勃。更進一步說，這樣還有可能喚醒了他們的審美銳敏度。

1 杜德芳侯爵夫人（Mme du Deffand，一六九七～一七八〇），法國書簡作家和十八世紀的沙龍常客，伏爾泰的朋友。

2 馬西永（Jean-Baptiste Massillon，一六六三～一七四二），法國奧維涅地區的教區主教，擅長演說，因其宣教風格溫和、循循善誘而受到大眾乃至知識界的歡迎。

3 「五千人」指當時的法國貴族階層。

4 太子港，海地首都。當地時間二〇一〇年一月十二日下午，海地發生強烈地震，震央距離太子港約二十二公里。

5 《巴馬修道院》（*La Chartreuse de Parme*），法國作家斯湯達爾於一八三九年創作出版的一部小說。

6 保羅．魏崙（Paul Verlaine，一八四四～一八九六），法國詩人。

7 繆塞（Alfred de Musset，一八一〇～一八五七），法國詩人、劇作家。

8 埃澤出版社，儒勒．凡爾納（Jules Verne）作品原版的出版社，社長埃澤（Pierre-Jules Hetzel）是作家的朋友。

9 柏拉圖洞穴，這是柏拉圖的一個著名比喻。柏拉圖在《理想國》第七卷裡描繪了一些人身處於一個地下洞穴之中，被鎖鍊束縛，無法動彈。他們背對洞口，無法直接看到白晝的光線，只能見到自己及身後物品的影子。洞穴象徵著人類所生活的感性世界，這個比喻表明人類難以企及和傳達所身處現實世界的真相。

10 安東尼·伯吉斯（Anthony Burgess，一九一七～一九九三），英國作家、語言學家，《拿撒勒人》（*L'Homme de Nazareth*）是他的一部小說。

11 波特萊爾（Charles Baudelaire，一八二一～一八六七），十九世紀最偉大的法國詩人之一。《昔日的生活》（*La vie antérieure*）一詩被波特萊爾收入詩集《惡之華》（一八五七年），最初發表於一八五五年。

12 勒洛蘭（Le Lorrain，約一六〇〇～一六八二），法國畫家，擅長風景畫。

自私的讀者

Le lecteur égoïste

我外祖母家的書櫃裡滿滿的都是有編號的限量版藏書，她稱之為「大開本」[1]，某些「大開本」裡還有著名作家的親筆簽名。對此我感覺奇妙無比，對外祖母的愛戴之情也愈加充沛強烈；應該有本書來介紹介紹那些屬於祖母的作家。有屬於母親的作家，如阿爾伯特・科恩[2]。有屬於姊妹的作家，如福樓拜。有屬於父親的作家，如斯湯達爾或狄更斯。有屬於叔伯輩的作家，如羅傑・尼米耶[3]。在那些屬於祖母們的作家當中，被奉若神明的無疑是馬塞爾・普魯斯特。他在一位嚴厲又和善、酷愛讀書的白髮老婦人那永遠慈祥的目光下，一邊講著下流話一邊用他的小山羊皮手套掩著嘴竊笑。這位祖母，或者說《追憶似水年華》的敘述者的祖母，使我養成了關注那些表面看似不同尋常的比較及對照的習慣。正是她發現了德塞維涅夫人[4]與杜思妥也夫斯基之間的某些相似之處，不是嗎？我的祖母曾經教我如何使用那些珍貴的著作，教我掌握使用它們的準則以及對它們應持的禮節：舊版書卷首版畫的各種情狀，小心慎重地翻開書冊，等等等等。我摩挲著高級的日本紙，紙張比打磨過的象牙更柔滑細膩，滿懷愜意。當今世界令人悲痛的事情之一，除了神權專政和殺戮百姓——不對吧，專政和殺戮可是一直都存在的，而且人類的暴行或多或少並且極其深刻地永存長在；正是在這種紙張，在這種受到極度詆毀的紙張之上，鮮花綻放，人生那些溫情脈脈的朦朧時刻正在延伸擴展；令人悲痛的事，好了好了就要說到它了，便是這種日本紙已經停產。希望這悲傷已經因其他製作更精美的產品而得以彌補。

從前，當我感到孤單寂寞時，我並不會為那些日本紙而讀書。讀者無需成為珍本收藏家，正如珍本收藏家不一定是讀者一樣。只需看看作家們在一些人和另一些人眼中的行情就明白了。喬治·杜阿梅爾（Georges Duhamel）的作品由於發行量有限，在那些古籍書店裡依然維持著高昂的價格，讀者們則認為它們無足輕重。托尼·杜威爾在古籍書商那兒沒有什麼行情，然而其作品的價值在讀者們看來卻無法估量。對我來說，我所需要的印刷品是可以在上面劃線以及在頁面空白處寫批註的書。有人告訴過我這是讀書的最佳方式，事實的確如此。讀者不是一個會吃掉書、使書消失不見的消費者。當有人說「他在狼吞虎嚥」時，這一形象有著隨機性。一個好讀者在閱讀的同時也在書寫。他圈詞劃句，劃橫線，在印刷品的所有空餘縫隙裡寫下自己的評語。如果我把家裡的那些普魯斯特作品拿出來，大家就會明白我為什麼經常購買新版本的普魯斯特了。我沒有戀物癖。我不得不這麼做。因為書的襯頁和空白之處都寫滿了字，那些字句如同蚯蚓般向四面八方伸展，盤結纏繞著內頁的空白；普魯斯特作品裡那些一行又一行的文字本身也被劃了線、編上號、潦草塗寫過。我添加在作品頁面上的評語甚至比作家本人增補的註解還要多。一個好讀者就是一個紋身師。他將書籍這匹「牲口」占為己有，哪怕只是那麼一點點。

如果把兩個不同讀者對同一本書的批註加以比較，我們就會明白書籍並非造型藝術品，因為後者任人觀看，而且除非發生什麼災難，否則它會比第一位見到它的公眾存在的時間更長久。如果說書籍具有幾乎是獨一無二的意義──而這正是作者的希望所在──那是因為一本書的每位讀者都會在書裡找到某種特殊的共鳴。因此，保羅．梵樂希（Paul Valéry）說：

我的詩句有著讀者賦予它們的意義。我給予這些詩句的涵義僅僅與我相合，它不與任何人對立。聲稱任何一首詩都有與其相符的某個涵義，一個真正與作者的思想相應或相同的獨一無二的涵義，這是違反詩歌本性的錯誤，它對詩歌而言甚至可能是致命的危險。

評《魅力》，《雜文集》第三卷

讀書為了理解世界，讀書為了理解自身。如果讀者再稍微大度一些，那麼讀書也可能是為了理解作者。我認為這種情形只會發生在那些最偉大的讀者們身上，一旦他們滿足了理解世界和理解自身這前兩個需求之後。讀書令沉睡千年的木乃伊歌唱，不過我們並非因為這個才讀書。我們不是為了書而讀書，而是為了自己而讀書。讀者是最自私的人。

1　法語為 grand papier，在書籍收藏中特指用尺寸較大的特級紙張限量印製的書籍，每本書籍均有編號，內頁的邊緣往往較寬，且常印有花卉圖案。

2 阿爾伯特・科恩（Albert Cohen，一八九五～一九八一），瑞士法語詩人、作家和劇作家。

3 羅傑・尼米耶（Roger Nimier，一九二五～一九六二），法國小說家、記者和電影編劇。

4 德塞維涅夫人（Mme de Sévigné，一六二六～一六九六），法國書簡作家。

讀書
不會改變我們
Lire ne nous change pas

一個令人既安心又掃興的體驗就是在再次閱讀的書上比照自己曾經做過的批註。我有過這樣的體會。起初是由於偶然，因為我並沒有對自己友愛或敵視到每翻開一本書，都要看看曾經信筆寫過的東西；之後則是出於好奇心，因為我注意到，時隔數年之後，我差不多始終是在相同的段落下劃上著重線。唉，我們還是與以前一樣。讀書幾乎未讓我們有何改變。它可能使我們更臻美好，或許有可能，或許有一些，然而即使讀過拉辛（Jean Racine）的作品，壞蛋依然是壞蛋。與之前沒有教養的壞蛋相比，他只會成為被文學裝飾過的壞蛋。反之，一個好人不會因為讀了一本壞書就變成壞人。讀書的壞影響和它的好影響一樣都是個愚不可及的傳說。在一個自古以來就（而且可能永遠都）僅僅喜歡實用的世界裡，「讀書的壞影響」來自這樣一種觀念：文學是有道德的（或者不道德的，這是一碼事），這觀念或許對它繼續存在下去必不可少。幸好，文學才華總能帶來新鮮感，它讓我們在每次重訪舊作時都如同有了新的發現一般歡呼讚歎。

為了（無須先認識自己再）發現自我而讀書

Lire pour se trouver (sans s'être cherché)

書並非為了讀者而作，甚至不是為了作者而寫，它不為任何人而作。它是為了存在而書寫。以讀者為寫作對象的書將讀者視為公眾。作者帶有某種意圖寫作。無論這種意圖是討讀者歡心還是勸說他們，都是某種形式的居高臨下。先說作品，它被工具化了，況且也不會好，因為作者遠離了自己的本題；再說讀者，他們一旦發現作者並未將自己視作有獨立判斷和選擇能力的人便會心懷不滿。這樣蠱惑人心是怎麼回事？扔過來幾根多愁善感的肉骨頭想讓我們高興得搖尾巴嗎？我們寧願偷渡進入作者的大腦去拿走我們想要的東西。如果我們在書中發現了自我，那自然很好，然而我們並非為了這個才讀書。自私不意味著自戀。當我們驚喜於自己受到的感動時，我們只會更加快樂。應當像個小偷一樣，否則讀書會變得太過道德化。

在飛機上，我寫下這幾行字後，就停下來開始閱讀湯瑪斯・伯恩哈德[1]的《溺水者》，一部發表於一九八三年的作品。它的法文譯本出版於一九八六年。一九八六年！我本來可以在譯本出版時就讀到這本書。但二十四年後的今天我才這麼做。二十四年。二十四！我會錯過多少重要的事啊，一直到死！讀書又是多麼殘酷的隨心所欲啊，是對作者的殘酷！由於未被讀過而消亡的所有才華！好的讀者，應當把他們關起來讀書！給他們發薪水，讓他們只做這件事：讀書挽救文學！二十四年！好，夠了，莫里哀式的誇張表演到此為止。再談談這位我很久以來都沒能讀到的作家，他這本書中可用來描繪一幅「湯瑪斯・伯恩哈德自畫像」的語句數量之多令我驚詫不已。

其實，我憎惡自然，他又這麼並且一直這麼說。（……）自然在與我作對，格萊恩說（……）。

可是，如果這個出生地有壓垮我們的危險，那麼我們可以離開它，如果我們忘記了適時地離開和放棄這個地方，那麼我們就離開和放棄那些令自己頹喪的東西。

我曾有過機會，而我……

……然而這無關我，無關我們。我們只是太想在書中找到與自己的相似之處。在湯瑪斯・伯恩哈德的書中，我也很有可能讀到：

當我手頭有本書時，她會一直跟著我直到我把書放到一邊，當我滿腔怒火地把書朝她臉上扔去時，她勝利了。

《混凝土》（*Béton*，一九八二）

書神知道，這是我從未有過的體驗。人人都獨一無二，這是讀者們在不斷閱讀而又沒能在書中找到完整自我之後學到的經驗。不是書裡的我們，而是作者的才華讓我們判定哪些書是好書。讀者們並非希望自己與書中的人物和思想相像，而是希望自己與天才相像。

1 湯瑪斯．伯恩哈德（Thomas Bernhard，一九三一～一九八九），奧地利作家和劇作家。

書神
Le dieu de la lecture

書神？……然而沒有掌管讀書的神明。人類一直小心提防著以免創造出個書神來。過去的讀者對抬高自己可能產生的危險心知肚明。理性與感性聯合作用的力量，多麼可怕！話說回來，在他人看來，讀書人從現實生活中抽離，已經成為隱形人，那麼別人看不見他的保護神也是十分正常的。

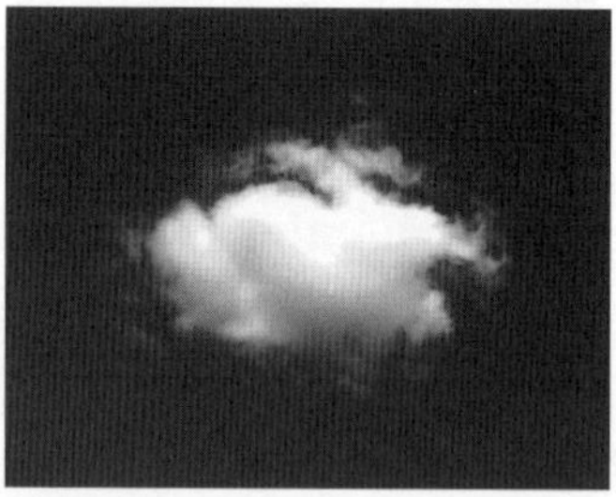

書神在（圖書館）樓梯間

為了被言說而讀書

Lire pour être articulé

結束閱讀後，讀者的大腦不會像洗去資料的磁碟那樣重新變成一片空白。他得到了書內語句的補充；那有著多大的魔力啊！隨風飄走的紗巾，他會追隨它們直到海角天涯。我就是在海涅（Heinrich Heine）那句「吾不解此謂何意，心傷之極矣」的詩歌溫床上度過了自己的少年時代。對，是這首詩，《羅蕾萊》（*La Lorelei*），我不清楚我所體驗的那種憂愁究竟有怎樣的涵義，我對自己重複它，重複、重複、再重複，陶醉於為自己的憂愁找到了一件如此漂亮的外衣，我體驗過這種憂愁，而且未嘗不喜聞樂見於此類體驗。我們在自己的讀物裡選擇自身感覺的外殼、自己無聲的言談、喃喃低語的雄辯口才。

在那個年紀，很少讀到像普洛斯彼羅在《暴風雨》（第四幕，第一場）中的對白那樣擊中我內心的句子：We are such stuff as dreams are made on，「我們是造就夢幻的質料」。（We are such stuff / As dreams are made on, and our little life / Is rounded with a sleep…「人生如夢幻，渺小的生命被沉眠圍繞……」）我隨處寫下這句詩行，我反覆誦讀它，力圖參透它給予我的啟示。還有巴爾扎克的那句「細微差別，乃精緻的大敵」（La nuance, ennemie de la finesse）。那年夏天，我在一家書店打工，隨手翻閱他的一部袖珍本作品時讀到了這句話。我愚蠢地闔上了書，把它擺放好。兩分鐘後以及隨後的二十天裡，我徒勞地在那本書裡尋找那句話。我也可以說：是二十年，因為我再也沒有找到過，何況又已經遺忘那是巴爾扎克的哪一部作品。哦，幽靈，在我的餘生裡，你會回到他的一本書中向我微笑嗎？或許會是我從世間消失——甚至在我重新讀到那句話以前——的那一刻吧。

隱形的芭蕾舞團

L'invisible corps de ballet

書籍不僅僅是一些裝滿了我們漫不經心、卻貪婪無比尋覓著的某種東西的物品。大衛・格羅斯曼-在《吉賽爾的境遇》（*Dans la peau de Gisela*, 二〇〇八）裡談到了那些「閱讀過他的書」。想必會有這樣的情形。讀者成為書籍的獵物。書籍從讀者那裡汲取養料。它們需要被讀者提及。這樣，文學所帶來某種特定的看待事物的方式，就在一部分公眾的頭腦裡傳播開來。這種方式並非由概念而是由對事物的觀察構成，其觀察方式具有鮮明個性，從而產生了一種知性魅力，被癡迷的讀者追捧。癡迷讀者們走在大街上，神情與其他人相似，可是如果能夠探入其內心深處，我們就能輕易區分……她，她是……他，他也是……他，他不是，隱晦不明。他也不是，都是數字。他，是的……她……我們會看到全世界數十萬偉大讀者合組而成芭蕾舞團的夢幻之舞。

1 大衛·格羅斯曼（David Grossman，一九五四～），以色列作家，《吉賽爾的境遇》是他的散文作品。

閱讀是再創作

Lire recrée

我們出於利己主義而讀書，但無意中達到了一個利他主義的結果。透過讀書，我們使沉睡的思想重生。如果書不是睡美人，那它是什麼呢？讀者不是白馬王子，又是什麼，哪怕這個讀者戴著眼鏡，頭髮光禿稀疏，而且是個高齡九十八歲的老翁？一本闔上的書，它始終存在，卻沒有生命。它是一個直角平行六面體，很可能覆蓋著一層薄薄的灰塵，事實上跟一個空空如也的盒子沒有區別。一切閱讀活動，我們應當承認，都是一種再創作。馬拉美 - 誇張地強調讀者就是詩歌的創作者。「復活者」一詞應該就足夠了。我們都是成年人，足以接受下面這個觀點：即使讀者的角色再重要，他也不是作品的創作者。

1 馬拉美（Stéphane Mallarmé，一八四二～一八九八），法國詩人，文學評論家。

為了不令逝者長眠而讀書

Lire pour ne pas laisser les cadavres reposer en paix

讀者不像自己想像的那般被動。從傾聽獨白的角度看來，閱讀是一種對話。所謂對話，一般是指聽眾時而著迷時而耐心地傾聽的精彩獨白。在閱讀過程中，某個昏昏沉沉的思維被一個看似消極的思緒調動了起來。只是看似消極。其實它很活躍，因為那些感性與記憶機制。它會選擇那些能觸動思維的段落。讀者在其中重新發現了文學的感性特徵。文學與它那瘦弱的堂妹（即讀書）有一個相同之處，那就是引起共鳴。被書寫或閱讀的文學語句與其他領域的書面語句所不同之處，就在於這種共鳴，它源於文學的不純粹性本身。

我常常傾向於以詞語的原意而不是在使用中衍生的涵義來看待它們，可是我錯了。人們在使用過程中，為大多數詞語遮上了一片彩色濾光鏡。如果我在用詞時不特意說明自己不曾考慮到這一點，人們就會將那些詞語看作彩色的，而唯有我一人以自己所理解的意思來看待它們。我可以說，由於我常常這樣使用詞語，使用最貼近其原初成形時的涵義，這樣造出的語句會引起讀者們的些許好奇心，令他們流連於這些語句；於是他們會理解它們；他們會欣喜於自己的理解勝過旁人；這麼一來我簡直可以成立一個行家俱樂部了。這樣的俱樂部有時候可能有上百萬的會員，都像普魯斯特那樣。但只要知道俱樂部最初不過千把人就足夠了。多麼自命清高而又天真的想法。其實也沒那麼嚴重。應該說這個想法帶有某種日本式的情感特性：我們這幾個人在致力留存一個比我們更重要的微妙事物。提到

「不純粹」，我想表達的意思是「混雜」，如同液體可以變得不純。文學的不純粹源於文學把說理和可笑的情感摻雜在一起。由此形成它如此特殊的形式。我是說通常情況，即文學是摻雜著情感的文字。我不相信有這種「風格」，即每一位優秀作家都有絕對屬於他的表達方式。「我」常常自以為獨一無二。然而，這些「我」分屬於不同的類型。人是神聖的，然而人的個性屬於不同的組合；當然存在某些細微差別，這些微末差異使得每個人都真正成為一個無可替代的人（這是我們反對謀殺的主因之一），然而這並不足以說：「給我一個句子，我就會辨認出那位作家。」我們可以認出那個（熱情的、暴躁的、有報復心理的……）類型，這為我們提供了一個參照，然而為了辨認該作者是何人，還需要瞭解其思想。是啊，優秀作家都是擅於思考的作家。而這正是普魯斯特那一類文字極為稠密作家的作品可能會招引無限評論的原因。個性天差地別的讀者們都能在其中找到令自我滿足的東西。評論又再衍生評論，因而形成了對創造性閱讀的神化，將其等同於猶太教法典般地信奉它。

因此我們應該小心避免書籍變成《聖經》。我們並非因信仰而讀書，作家並非神祇。我們可以熱愛書籍卻粗暴地對待它們，我想，我們甚至必須這樣做。我不贊成讓死者安眠。一位聽憑他人將自己安葬於地下的死者最終將走向永遠的死亡。

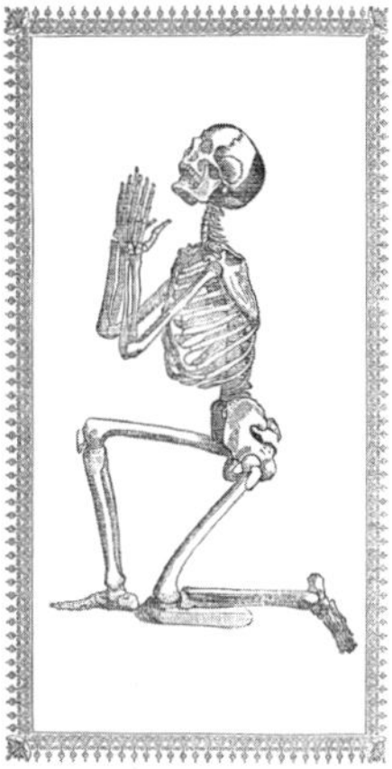

在深夜走出墓穴的骷髏們把雙腳伸向那些燈光閃爍、飛往他方飛機的機腹，哀求著：轟炸那些墳墓吧！

只因愛而讀書

On ne lit que par amour

如果要在本書結束之前說出來——其實我既反對宣稱終結一切的結論，也反對自以為證明了一切、其實引起懷疑的引言——歸根結底，假如我們博覽群書，我們定是因為喜愛才那麼做。我們由喜歡人物開始；接下來是喜歡作者；最後則是喜歡文學。文學這位女王正是我們的永恆追求，我們伸長脖子、張著貪婪的嘴，朝著那個純淨而炫目的新鮮感匍匐前行，我們曾在早期閱讀時體會到那種新鮮感，現在卻再也感知不到，即使我們感知到了，也有可能是錯誤地感知到了憂傷。我們失去了童稚，但同時也不再無知。如果什麼都未讀過，那麼有著最微不足道丁點才華的人在我們眼中都成了帕華洛帝。我想，當探險者剛剛走進原始叢林時，他會對自己遇見的第一隻千足蟲驚歎不已；可是，當他在森林裡跋涉數月之後，在他到達林中空地，看到仙女們在那裡隨著琴鳥的吟唱翩翩起舞時，他不會失去感覺而無動於衷。即使我們讀了很多書，閱讀的數量也不會使其品質有所折損。

童心未泯的讀者常常是文學魅力的締造者。很多讀者都童心未泯。正是這樣的讀者把小說變為暢銷書。那些內心依然是少女、依然夢想愛情的婦女為純純蠢蠢的言情小說帶來了三十萬冊的銷售量，小說醫治了她們的痛苦——由於嫁了一個胳膊肘撐在桌上吃飯言行舉止粗俗不堪的丈夫而產生的痛苦。而那些思想仍留駐於少年時代的男人們則放棄法國電視一台轉播的足球賽，去讀一些鼓吹世界末日論的笨蛋炮製出的幻想小說。

有時候，乾巴巴的知識給溫柔的（溫柔的：優點）愛套上了雙重的挽具，於是從愛這匹雪白駿馬的玻璃鼻孔裡噴出的白氣（啊～這種寫得糟糕卻自欺欺人地認為寫得好的邪惡樂趣）使我們喪失了質樸純真。而這就是為什麼那些聲名卓著的讀者變得越來越吹毛求疵的原因，他們在尋覓某種稀有的滋味，那種滋味十分強烈，能讓他們在讀過的書越來越多感覺卻越來越少之後重新感受到某種東西。他們就是一些身處沙漠之中、口乾舌燥得即使有整船整船的涼水也無法解渴的人。要喝水！要喝水！他們邊喊邊用力扔掉一八六八年的狄金森酒杯和一三五〇年的薄伽丘香檳酒瓶。

為了憎恨而讀書

Lire pour la haine

某些人是出於憎恨而讀書。這是一些嫉妒同行的作家和嫉妒所有人的批評家。前者反覆說：「我們不讀自己寫的書，我們這是相互監督。」高尚的慷慨。我想他們看不起馬樂侯[1]：有一天，有人把一位年輕作者剛剛寄到伽利瑪出版社的手稿轉給他，他邊讀手稿邊拍著大腿說：「啊，這個小夥子！啊，這個小夥子！」（這是貝爾勒[2]講述的逸事）那位年輕作者有可能寫得如皮耶·德里奧·拉霍榭爾[3]一般糟糕，但這是另一碼事。馬樂侯有可能喜歡他的某種文風，德里奧式的文風，況且德里奧是屬於他那個時代的作家，而這類作家出現時會顯得很現代。馬樂侯曾寫過《蔑視的時代》，將人分為兩類，喜歡蔑視他人從而產生苦澀滿足感的人和甚至連想都未曾想過那種蔑視的人。後一類人瀕臨滅絕。我們也可以把人分成憎恨和不憎恨馬樂侯的兩類。對馬樂侯的憎恨，在很長一段時期內一直代表著某一類人。然後那個時期過去了。正如卡繆。在一九五五年，不喜歡卡繆可能意味著（法西斯主義或極權式的）無人性；在二〇一〇年，卡繆曾表明過立場的那些政治論戰早已偃旗息鼓，不復存在，除了存在於某些人的思想意識中，這些人經歷過那段歷史並且緊緊抓住不放，因為他們無法想像有反對卡繆的文學論據。或者可以說，有一些八十五歲的老人仍然耳聰目明。

作家，根本是群敗類！一個充斥著慾望的大染缸。我相信自己寧願成為劇作家，他們不那麼互相厭惡，如果我們信賴《潛在的異性戀者》（*The Latent*

Heterosexual，一九六八）的作者帕迪・查耶夫斯基[4]的話，我要讀一讀他的這部作品。安東妮亞・傅瑞澤[5]在《你一定得走嗎？》（*Must You Go?*，二〇一〇）中談到了查耶夫斯基的這部作品。《你一定得走嗎？》是一部關於她與哈洛德・品特（Harold Pinter）婚姻生活的日記，很有趣，很好看，可能有點過火。其中兩頁或許可以成為對二十世紀下半葉出現的「魚子醬左派」[6]這個西方小幫派未來的總結：英語系師生戰戰兢兢地接待一位後來成為當地小國元首的南美革命者——尼加拉瓜的丹尼爾・奧蒂嘉[7]。這些人的純真並不令人厭惡，因為它出自把事情做得令人滿意的良好願望，而他們一貫反對社會進步的言行有時是源於輕蔑的想法。

由於想找出一個嫉妒的批評家作為例證，又沒有太多這樣的人，我花了數天時間閱讀某雜誌登載的文章，我告訴自己一定可以找到這樣的評論家。我找到了，可是並不因此感到高興。這就好像翻過垃圾箱一樣。我發現了一個十分擅長評論他人文風的女批評家，她的文章如同一觸即怒的女中學生的作文，而且由於她用語粗俗地寫些平淡無奇的文章，因此自以為有透徹的洞察力。她喜歡攻擊作家。那些攻擊我們的人並非都那麼有才華。正因如此，他們常常只剩下庸俗了。為了彌補自己欠缺的理性思考，她用「我們」這個人稱寫作。「我們」，她供稿的那本雜誌的「文化」版面，強迫那些分外難以忍受此類宗派作風的人接受她的欺世盜名。瞧瞧一個跳梁小丑到底如何自以為聖賢。世上就是有這樣一種既平庸又惡毒的讀物。我對那些自己不喜歡的東西沒有任何興趣，所以我把它們留給道學家們去研究。

MAINTENANT,
UN PEU D'AIR FRAIS.

現在，來點兒新鮮空氣吧。

1 馬樂侯（André Malraux，一九〇一～一九七六），法國小說家、評論家和政治家。

2 貝爾勒（Emmanuel Berl，一八九二～一九七六），法國記者、歷史學家和隨筆作家。

3 皮耶・德里奧・拉霍榭爾（Pierre Drieu La Rochelle，一八九三～一九四五），法國作家。

4 帕迪・查耶夫斯基（Paddy Chayefsky，一九二三～一九八一），美國電影編劇。

5 安東妮亞・傅瑞澤（Antonia Fraser，一九三二～），英國傳記作家和小說家，是著名作家哈洛德・品特的遺孀。

6 魚子醬左派（caviar gauche），用以戲稱那些聲稱支持社會主義，卻過著與其理念完全相反生活的人。

7 丹尼爾・奧蒂嘉（Daniel Ortega，一九四五～），一九八五至一九九〇年間任尼加拉瓜總統，二〇〇七年再次當選。

滴里嘟嚕！尖端小說

Turlututu roman pointu

《老爺的情人》－這部在十五年前尚等同於《聖經》的權威著作，現在卻成了一本壞書，這個觀點在二〇一〇年已成為新的信條。在我參加的一個電視節目裡，一位電影編劇大力抨擊此書。這些編劇把自己當成什麼人了，天神嗎，我把這個問題放在自己心裡沒有說出口，同時試圖回應他提出的異議。如果您沒能將阿爾伯特·科恩的小說改編為劇本，我對他說（他至少有個長處，就是把自身的無能歸因於他人，不過這一點看法我也放在心裡），那是因為它不是一部故事性的小說，而是一部以阿莉婭娜和索拉爾為主人公的人物小說。索拉爾是法國文學中最出色的討厭鬼典型，而塑造出法國文學中這樣一個最典型的討厭鬼人物並非毫無價值。它更是一部諷刺小說，其中還插入了一個中世紀傳奇小說故事。索拉爾，由於擔心他所謂的「社會問題」扼殺了自己對阿莉婭娜的愛情而將後者幽禁在家：中世紀傳奇小說的情節。小說的背景處於野心勃勃的蠢婦人德姆太太與她兒子——一個在國際聯盟[2]削鉛筆混日子的大懶漢——的社交生活之中。《老爺的情人》，這是一座矗立於亂蹦亂跳的小丑中間的摩天樓。它不只是一個故事、一個人物而已。科恩輕車熟路、妙不可言、趣味橫生地引領我們走進了這個世界。我們並非為了故事而讀書，我們讀書是為了與作者共舞。

1 《老爺的情人》（*Belle du seigneur*），瑞士法語作家阿爾伯特．科恩出版於一九六八年的一部小說，又譯《魂斷日內瓦》。阿莉婭娜和索拉爾是小說裡的主人公。這部作品曾獲得法蘭西學院小說大獎，並被視為二十世紀最偉大的法語小說之一。

2 國際聯盟，一個成立於一九二〇年的世界組織，旨在促進國際間的合作與和平，一九四六年宣布解散。

讀者的假定被動性

Passivité supposée du lecteur

有時候讀者會不由得以為自己處於被動狀態。這是在他不喜歡讀書的時候。不過，並非因為我們不喜歡我們就有道理。讀者常常忘記，當他把某些事情歸咎於作者的時候，責任或許在他自己。他有可能是在惡劣的條件下讀書。情緒不好。也許不是真正在讀書，而是為了強化自己持有的某些偏見。讀者從未如此想過。他總是將作者視為有罪之人。然而，有時候，應當說，讀者有可能不如作者敏銳。

我們樂於相信讀者是有教養的人，而且全都是有教養的人。但也有一些傻瓜在讀書。正是他們，構成了那些論證「九一一」事件是美國人罪行作品的讀者群。幼稚無知之徒，這是些對幸福社會喝倒彩的讀者。壞人，紀・杜柏[1]的讀者。尖酸刻薄的人，路易－費迪南・塞利納[2]的讀者。還有一些愚不可及的人，這些人構成了那些咄咄逼人的好鬥女學究們的讀者。讓我們離開那些討厭的讀者吧，我們並非以壞人為依據才能做出正確的推斷。

1 紀・杜柏（Guy Debord，一九三一～一九九四），法國作家。

2 路易－費迪南・塞利納（Louis-Ferdinand Céline，一八九四～一九六一），法國醫生、作家。

順從的女讀者

La lectrice soumise

馬格利徹－大部分畫作的標題都對作品本身作出了解釋，例如這幅「順從的女讀者」，畫中女性貌似瑪麗亞．卡拉斯（大鼻子、濃黑的眉毛），她一邊讀著一本翻開的書，一邊在驚歎。如果馬格利徹的畫作沒有名字，那麼人們將會怎樣理

解他的那些作品呢？還會發現其中的諷刺意味嗎？這不恰恰說明諷刺是種微弱的東西嗎？我們承認，在馬格利徹的創作裡，標題是畫作的一個組成部分，有時甚至正是標題被繪於畫布之上，例如那幅「這不是一只煙斗」。如果是現在，馬格利徹可能會描繪那些同樣圓睜雙眼、戴著耳機參觀博物館的人。畫作的標題（或許會也或許不會出現在畫布上）：「語音嚮導」。語音嚮導！人們要求不做任何思考。至少教學指導不會在我們閱讀的過程當中發生。閱讀可以被引導（之前）、被闡釋（之後），可是，在閱讀過程當中，則是兩者的單獨相處。有時候甚至是兩者相鬥。讀者與書籍拼鬥，為了超越那個激發他閱讀的好奇心。讀者與自己拼鬥，為了超越他的不理解。決鬥最終會轉變為二重唱嗎？

1　馬格利徹（René Magritte，一八九八～一九六七），比利時超現實主義畫家。

為了追過半本書而讀書

Lire pour dépasser la moitié du livre

我讀穆西爾（Robert Musil）的《沒有個性的人》（*L'Homme sans qualités*）。那是一部長篇鉅著。兩卷本，各一千頁。當我們攀登那些高山時會生出一份鬥志。啊！啊！你認為你會戰勝我嗎？而我們不急不躁、慢慢悠悠、堅定執著地一邊爬到山頂後，一邊自言自語地說，隨後的下山會更加容易。我們從中體驗到一種惱人的愉悅。發表一部千頁的著作是多麼無禮啊！多麼自負啊！只有天才才會得到諒解，幸好其中確有才情。來吧，嘿！……只剩六十頁了！……五十九頁！……

為書名而讀書

Lire pour les titres

我自問是否為讀書找到了一個新理由：反駁自我。當我不喜歡一位作家時，我會回過頭來重新閱讀他的作品。來吧，其實是你錯了，我們再看看它是否的確不那麼出色！而當我發現是自己搞錯了的時候，我總是很高興。我又丟掉了一個偏見。

關於瑪格麗特・莒哈絲[1]，我原本可以滿足於她的作品給我帶來的不悅，僅僅讀一讀那些書名就行了。不少她的小說取名十分精彩。《綠眼睛黑頭髮》（*Les*

Yeux bleus cheveux noirs）。這彷彿是湯瑪斯・哈代那極其優美的書名《一雙藍眼睛》（*Deux yeux bleus*）的現代版本，其英文標題更加出色：A Pair of Blue Eyes（一八七三年）。《樹上的歲月》（*Des journées entières dans les arbres*）。我們正是透過莒哈絲的書名，才能更深入領會其作品的貝克特[2]風格。《諾曼第海岸的妓女》（*La Pute de la côte normande*）。莒哈絲是個喜歡恰如其分地直抒己見的人，正如所有的嚴肅作家一樣，他們都無視世俗地描述事實，那些當權階層出於自身安寧的考慮而絕口不提的事實。《夏日夜晚十點半》（*Dix heures et demie du soir en été*）。看似莎岡[3]的一個書名。（看到這樣比較，那些喜歡莒哈絲的讀者們會氣得把假牙咬得咯吱作響）而正是基於以上原因，我們明白單一書名不具備完整的意思。況且，單單一個書名，在文學上，它存在嗎？——那些作者依然是無名氏的作品的標題。——確切地說，我們不停地尋找它們的作者。曾經在數十年的時間裡，全法國的人一直都在琢磨那部色情小說《O孃的故事》（*Histoire d'O*，

一九五四）的作者到底是何許人。當人們得知它的作者是朵蜜妮・奧利[4]——一位女性翻譯兼出版社職員時，那本書就變得不那麼有趣了。之前人們曾聽說作者是某某著名作家。「尚・波隆[5]，《O孃的故事》」會使小說更為生動有趣，因為人們在小說的字裡行間尋找並且找到了那位嚴肅作者兼雜誌主管、出版商的蹤跡。當一個人尋索時他就會為自己找到想找到的東西。字裡行間是一個奇妙的空間，讀者在其中窮盡推理論證來匯聚神奇之光，它給予他想要的東西：被說服。

一個書名只有伴隨著作者的名號才具有完整的涵義。《夏日夜晚十點半》不僅可能意味著一個發生於泰烏勒的中產階級故事，而且可能是英國偵探喜劇或一位俄羅斯神秘主義者自殺的內心獨白，總之一個單獨的書名不具有任何意義。相反地，「瑪格麗特・莒哈絲，《夏日夜晚十點半》」，這就是一個標識。書是由人寫出來的，而說出「我的生平，就是我的作品目錄」這種話是某些人的欺騙之舉，他們玷污了自己的人生，或者他們自大得過了頭，無所謂是哪一種了。唯美主義是那些壞蛋們的擋箭牌。這也正是為什麼，當一位作家的作品與讀者之間進展順利時，我們交上了一位作家朋友，對，的確，一位朋友。作者有缺點。正如朋友。我們喜歡他而他惹惱我們。正如朋友。而我，讀者，我沒有嗎，沒有缺點？我不會惹惱作者嗎，如果他遇見我的話？讓一位作家承擔他人的錯誤，這很容易。我不是說作家們無須承擔任何責任。多麼可悲的道德姿態啊。也是文學姿態，文學姿態。如果人們拒絕承擔一切責任，那麼我們的文學只會是一片牙牙學語之聲。

1 瑪格麗特·莒哈絲（Marguerite Duras，一九一四～一九九六），法國女小說家、劇作家和電影藝術家。

2 薩繆爾·貝克特（Samuel Beckett，一九〇六～一九八九），愛爾蘭詩人、作家和劇作家。

3 佛杭蘇娃·莎崗（Françoise Sagan，一九三五～二〇〇四），法國女作家。

4 朵蜜妮·奧利（Dominique Aury，一九〇七～一九九八），法國女作家。

5 尚·波隆（Jean Paulhan，一八八四～一九六八），法國作家、評論家和出版商。

為了不再是英國女王而讀書

Lire pour ne plus être reine d'Angleterre

在城堡周圍散步的英國女王伊莉莎白二世在一輛巡迴圖書車旁停下了腳步。她不太清楚該借閱哪些書，於是向那位被皇家威儀迷倒的巡迴圖書車老闆借了自己年輕時候聽說過、一位女性小說家艾薇．康普頓－柏奈－——（二十世紀三〇年代一位擅長描寫上流社會生活的作家）的書，但這本書令女王感到厭煩。漸漸地，她開始看起了普魯斯特，正式閱兵時也放在膝上讀著。她身邊的人為此而擔心。老年癡呆？況且這也不是政治正確的做法：閱讀有排他性。於是首相的顧問用了些手段，把一位曾在西敏宮工作的前廚師排擠走了。廚師曾在巡迴圖書車那兒遇過女王，向女王提出中肯的建議，女王因此提拔他到顧問身邊工作；首相顧問強迫他到一所偏遠大學上學，過了很長一段時間，女王在那裡遇到了他；在明白其間所發生的事情之後，她命人趕走了顧問。女王在自己八十歲壽誕的慶典上向大臣們宣布要寫一本書。一本書……哦對，童年回憶、戰爭回憶……不，不，女王回答；我們可以選擇文學創作。陛下，您所處的地位不允許您這麼做，像您的伯父溫莎公爵為何能出版《國王的故事》（*A King's Story*），那是因為他已經退位了。女王的回答以及該書的最後一句話是這樣的：「您認為您為什麼在這裡？」

亞倫·班奈[2]的《非普通讀者》（*The Uncommon Reader*）一書的法語譯名為《女性讀者們的女王》（*La Reine des lectrices*），它看似一則關於讀書及其顛覆性危險的寓言故事。事實上，這是一本關於文學的書。當首相回答說女王高於文學時，女王的回答是：「有誰凌駕於文學之上呢？」顯然任何一位女王都永遠無法給出這個問題的答案。

1 艾薇・康普頓－柏奈（Ivy Compton-Burnett，一八八四～一九六九），英國女小說家。

2 亞倫・班奈（Alan Bennett，一九三四～），英國小說家、劇作家、電影編劇、演員、導演。

閱讀權力

Lire le pouvoir

面對一位領袖，我們要對自己提出的唯一問題就是：他有可能會焚毀亞歷山大圖書館嗎？如果我們沒想到提出這個問題，那是因為他老實厚道，沒什麼可怕的。如果想到這個問題，是因為人們早就懷疑他心性粗野。奧馬（Omar）在人類的記憶中留下了粗野可鄙的宗教狂形象，因為是他下令焚毀了這座古代世界藏書最為豐富的圖書館（西元六四二年佔領埃及時），使得館藏的手稿從世間永遠地消失了。世家出身的暴君們的放蕩不羈或許與毫無背景的野心家們玩弄的信仰具有同樣的破壞性。出身貧寒的野心家常常十分保守，而正因如此，那些最惡劣的獨裁者們才會鼓勵人們讀書。在前蘇聯，圖書價格不高，學校講授著沙皇時期的文學，即使僅僅是為了證明社會主義已經真正戰勝了封建制度，人們一直珍藏著古代文學大家的手稿。布爾什維克主義，誕生於書籍，保護了書籍。馬克思拯救了普希金。也拯救了那些愛寫作的人！我不無傷感地回憶起一九八八年夏天，黨內的菁英們度過的最後一個愉快的夏天，他們在黑海邊別墅平臺上重讀約瑟夫·史達林的《馬克思主義與語言學問題》（在我看來，它比《蘇聯社會主義的經濟問題》一書更好）。如果換作我，我寧願他們燒了我的書，而不是燒死一個人。

閱讀空白

Lire les trous

我讀到的第一本成年人小說讀物是佩特隆內[1]的《諷世書》（*Satiricon*）（讀者：西元二十世紀下半葉；作者：西元一世紀中葉），當時得知西方的首部小說正是此書時，令我欣喜萬分。一部輕快的小說。諷刺小說。而且是殘本。別人給我的解釋是我們只有透過中世紀修道院的重新謄抄才讀得到這些古代書籍。此外還要歸功於那些修士以及他們對精神思想的純摯熱愛，他們用畢生的時光謄抄一些與其宗教信仰相背、有時候甚至包含著一些極其大膽思想內容的書籍。因為是晚禱的時間，那位負責抄寫佩特隆內作品的修士在撩起長袍跑向食堂時弄掉了一些書頁，它們與酒瓶的包裝紙混雜在一起，或者變成了蝴蝶翅膀的一部分？總之，《諷世書》傳到我們這個時代已經殘缺不全。其中的空白處讀來令人著迷。不如遺留下的文字那麼吸引人，然而正因為只有它們遺留下來了（空白之處才令人著迷）。在那些空白之處曾經有著怎樣的內容呢？讀者在這一時刻感覺自己比往常更像福爾摩斯。據說：正是在穿越時光長河時《諷世書》留下了空白的間隙。好吧。可是假如我斷言那是因為佩特隆內是個天才呢？斷言那些空白是由他自己設計遺留下來的呢？有時候，現在對於過去的優越感相當可笑。你們知道古人也很聰明嗎？我曾經對自己說：來寫一本有空白的小說吧。但《倉促人生》[2]並非最暢銷的那本。讀者跳著段落閱讀，自然能留出空白。

1　佩特隆內（Pétrone，？～西元六六年），古羅馬拉丁文作家、詩人，其著作《諷世書》又譯為《薩蒂利孔》，是歐洲首部喜劇傳奇作品。

2 本書作者小說作品。

為了手淫而讀書
Lire pour se masturber

在一本我家世代相傳的宗教書裡，我看到了地獄。廣闊，壯麗，擁擠。魔鬼坐在版畫中央的王座上，十分平靜。卻更具威懾力。靈魂在他下方的七個洞穴中受盡折磨，每個洞穴代表一宗罪，分別以烏龜、鏡子等等做為象徵標誌。那時我還是個孩子，我萬分恐懼，卻不斷地反覆觀看那幅版畫。地獄富有魅惑力。這正是人們指責它的地方，因為它並不存在。生活如此無聊，恐懼或許能成為年少時期理性的有益補充。

成年之後，性的地獄也具有同樣的功用，只不過它始終比較隱秘。比如我從前就不知道國家圖書館曾用一個特殊的編碼把館藏的色情書都隱藏起來了，那就是「地獄」。其實沒這個必要。色情文學早就得到了解放。我上高一時，同學們在課桌下傳閱著薩德侯爵[1]的黑色封皮袖珍本小說，那些書由於被多次翻閱就像煮熟的朝鮮薊一樣大敞著口。多麼巨大的文學熱情啊！沒過多久我就明白了這位作家的真實作用，不過我覺得他的寫作方式太隱晦了。其實我錯了：他的文筆較為拙劣，居於同時代作家的中等水準，至於他的作用，則不僅僅是供人自慰而已。在那樣一個到處都是賣弄學問的教授在歇斯底里地聲稱「一切均為政治」的時期，性成為革命的一部分，它順應了時代的發展。性的愉悅被否定了，還有呢？它本質的輕，它的無拘無束。於是反對虛偽的爭鬥使用了最虛偽的手段。人們並非為了肉體享樂才想到把地獄之門打開。

但至少地獄之門被打開了，而且，根據以往的作家可能帶給我們的新用途來時常重新闡釋他們的作品並非壞事。這使他們重新煥發出生機。不只一位中規中矩的作家因為過世後出版的放蕩不羈書信而變得更親切可愛了，哪怕這令他們失去了那些因循守舊的老主顧。而這些主顧總會找到一位值得尊敬的作家來取代另一位，被取代者會被毫不留情地遺忘。假使我根據艾米莉．狄金森的詩「我品嘗一種從未釀出的美酒」（I taste a liquor never brewed）出版一部就其詩歌作情色闡釋的著作，那麼我會更新對那首詩老套的唯靈論詮釋。我的闡釋或許沒什麼道理，但我會重新激起公眾對狄金森的興趣。這正如劇院上演的老劇碼，它們常常令年齡各異、對該藝術感興趣或買得起票的老朽們詛咒連連。然而再赫赫有名的劇碼數十年之後都會變成民間傳統藝術博物館的展廳，重新上演則能讓這些展廳通風透氣。花邊連衣裙飛了，帶短面紗的女帽跑了，房間裡的霉味消失了！哪怕最後只留下一尊光屁股蠟像，人們所做的也不僅僅是熬過了一場演出。作家們如同河流改道一樣被改變了方向。這對他們來說可能是好事。當我想到，後世其實就如同現世，聽煩了相同的東西一直重複便更換了讀物，我打算留下幾部我希望能夠出人意料的遺著來震驚後世。我以前的讀者會對這些作品失望；未來的讀者，會高興於反駁前人的話語並有新的發現，他們可能會說：「他並不像你們所說的那樣。只有我們理解他。」這會是不公平的，然而如果您認為後世就是公平，那麼我勸您立即自殺。

文學超出道德層面以外。這一切都是老生常談，早已聽過，令人生厭。但這也在變化中。在法國二〇〇七年的第二輪總統選舉中，我們有兩位提倡各種「價值」的總統候選人。二〇一〇年的匈牙利、荷蘭、比屬佛蘭德斯的議會選舉裡，最反動的政黨贏得了選舉。他們有著小丑般的政治綱領、選舉活動、行為舉止，甚至當他們失敗時都沒停止小丑行徑。在斯洛伐克，民族主義黨派沒有獲勝，他們的首領氣惱地公然宣稱：「同性戀和匈牙利人將統治這個國家。」這些小丑都夠嚇人的，不是嗎？在美國，共和黨創造出一個女丑，依靠某些極虔誠的、強有力的種族主義宣言，她注定要集中那些聖西門所言的民眾渣滓（此處指小資產階級渣滓）的意見。像弗蘭肯斯坦創造的怪物一般，莎拉・裴林或許會成功地脫離創造她的那些人成為美國總統，那時人們就笑不起來了。我們這些其他文明人知道小丑會置我們於死地，所以要立刻打敗他們。

然而，當它發展壯大起來後，當它變得容易顛覆，並且逕直朝著徹頭徹尾的國家革命的方向發展時，他們會為時已晚地發現任何事情在初期都不應被看做微不足道，因為蔑視它並不能阻礙它發展，時間的持續性也毫無疑問地可以使它迅速變得重要起來。

普魯塔克[2]，《凱撒傳》（*Vie de César*）

一股三〇年代的風吹過整個世界[3]。這看起來很不妙。那些「價值」的捍衛者們能夠辨別一本書中的色情成分和文學成分嗎？此外，我們要警惕某些人所說的相似，因為相似常常由於我們希望看到它才存在；也要警惕某些人對現在和過去進行的種種類比附會，真正的危險其實就在這些附會背後，它並不完全與過去相像，並且無需採取有用的行動就會不斷發展。我不知道有用的行動是什麼，可是，在我們這個既瘋狂地禁止又摻雜著保守與齷齪的世界裡，我如同《巴馬修道院》裡的布拉奈（Blanès）神父一樣，感到某種奇特風潮的來臨。

社會有關性慾方面的態度如此虛偽，以至於有些人本來出於刺激的目的買書，卻買到了一些完全無關的書。《慾望．巴黎——凱薩琳的性愛自傳》（*La Vie sexuelle de Catherine M.*）是凱薩琳．米雷[4]嘗試根據自己交換性伴侶的經歷進行的文學創作。這本書之所以創下了數十萬冊的銷量，或許僅僅因為購買這本由信譽卓著出版社所發行圖書的讀者們是一些色情狂，他們不用兩眼瞄著背後悄悄溜進性用品商店就可以在書店買到這本書。他們對這本書所能引起的性興奮一定極為失望。

某些開始寫性的小說作者的問題，在於他們聽任自己的執念來駕馭自己的作品。那個人喜歡小姑娘，好吧，這想法侵襲了他的頭腦，但他卻沒能控制；而文學作品的目標之一——即賦予情感一種形式而非向其強加一種形式——由於一個陰險的催人興奮的目的而遭到遺忘。讀者瞭解這一點，鄙視那本具有功利性（而且可能對讀者自己也是如此）的書。

一位作家朋友在尋思為什麼無法成功地寫出一部包含色情段落的文學作品。這大概是因為色情作品屬於目的性的作品，而文學則是非目的性的作品。正是同樣的原因阻止了兩者的融合，阻止了色情文學的出現。色情有其功能，文學則是一種情狀。

語彙的繁多是導致兩者無法融合的主要因素之一。到底是怎樣的奧秘使得性成為唯一擁有眾多詞彙的人類活動，甚至性器官也是唯一擁有好幾個相關詞彙的人體部位？只有一個詞語來表示「脖子」或「耳朵」；而一談到性，我們的腦海裡馬上浮現出分屬於各個不同語級的詞彙。以「陰道」、「小穴」或「屄」三詞為例，可知其分屬醫學用語、下流話或粗話。人們似乎無法單純地談論性。我暗自思量是否可歸因於羞恥之心。

想到把國家圖書館色情書籍命名為「地獄」的那個人是誰呢？是一個憤世嫉俗的人，還是信念堅定不移的人？是一個面頰鬆弛、彎腰駝背、每天晚上回到家可恥地朝借來的書手淫的人，還是一個年輕的、快活的、在一次會議上為了嘲笑某個假正經的保守者而提出如此建議的愛開玩笑的人？這能成為一本小說的主題。世界各民族的語彙便是這個世界的小說。

我們已知的唯一一幅艾米莉．狄金森的成年肖像。她是幸運的。一百五十年來，人們無止境地重印和再版她的作品，這使得她的形象牢牢地銘刻於讀者大眾的腦海之中。韓波[5]的一部分榮耀來自於他年輕時代那張頭髮蓬鬆零亂的照片，他的藍白色眼睛無情地注視著一個看似即將來臨的、準備打破舊制度的未來，而舊制度又將回收他的肖像以便進一步扼殺其思想。

1 薩德侯爵（marquis de Sade，一七四〇～一八一四），法國作家、哲學家，因其宣揚自由、無束縛式生活的色情文學著稱於世。

2 普魯塔克（Plutarch，約四六～一二五），羅馬帝國時代的希臘傳記作家和史學家，以《傳記集》聞名後世。

3 作者所指為二十世紀三〇年代，其時希特勒登上權力頂峰，歐洲社會的整體氣氛趨向嚴苛、保守。不過作者在本文中也提醒讀者，不要過於簡單化地將現在與過去進行比較。

4 凱薩琳·米雷（Catherine Millet，一九四八～），法國藝術評論家、作家，《慾望·巴黎──凱薩琳的性愛自傳》是她的一部敘事作品。

5 韓波（Arthur Rimbaud，一八五四～一八九一），法國詩人，早期象徵主義詩歌的代表人物。

為了自我反駁而讀書

Lire pour se contredire

所以呢，莒哈絲，我以一種令自己毛骨悚然的良好意願重讀她的作品，重讀了好幾次。但她的代表作，《史坦因之迷醉》（*Le Ravissement de Lol V. Stein*）、《死亡之疾》（*La Maladie de la mort*），我沒能重讀。太代表作了。太有代表作的企圖。而且是炫耀賣弄的代表作。這種露骨的代表作是一種文學體裁，它可以給人留下深刻印象。而首先留下印象的是作者自己。這些作品不再是書，而是鏡子。小說，小說，告訴我，我是最有才華的人！而讀者對於這種作者和其作品間的競相仰慕感到厭煩，於是去讀另一本書。

關於莒哈絲，我很喜歡她的某幾部小說，更喜歡她那些一揮而就的作品、報刊文章、回憶錄、採訪，等等等等，那些她因為吝嗇而集合成輯，卻沒來得及在虛榮心作用下賦加某種形式的作品。這樣更好，否則她會添加一些令我們痙攣抽筋的東西。正因如此，我對自己的自相矛盾很滿意（倒也並非狂喜，因為做必做的事沒有什麼可自我佩服的），在我的書櫃裡除了前面提到的書之外，還收藏有《物質生活》（*La Vie matérielle*）、《痛苦》（*La Douleur*）、《80年夏》（*L'Été 80*），尤其是《80年夏》。

這是一部應《解放報》之邀而撰寫，評論世界時事的文章彙編。莒哈絲在文章中引入了一個小男孩的情感體驗，描寫那個憂傷小男孩在特魯維爾夏令營的度假生活。我打賭她創造出了他，那個小男孩。他出現在第一篇文章，接著他的角色逐步擴展。他有了一個名字、一段故事。多麼好的想法啊。一個產生了點綴作用的虛構故事，襯托出其餘的部分。另外，她想像一位採訪者向格但斯克某位反共產主義罷工者提問的那個段落，也是虛構，而且她聲明了是虛構。該書結尾的章節極其巧妙，她在文中說自己無話可說，於是《解放報》的編輯建議她把這件事說出來，就說她無話可說（莒哈絲的風格）——正如普魯斯特在其小說結尾處宣告自己將要寫出《追憶似水年華》，而該書已被寫出，因為我們剛剛讀完了它——因而文章的最後一行寫道：「我開始為《解放報》寫這篇文章。」還有更多文字優美、言語誇張的段落，它們或許是這位小時候曾在法國學校受過古典悲劇教育小姑娘的最出色的戲劇：

那是九月的潮汐。大海是白色的、瘋狂的，因瘋狂、混沌而瘋狂，它在連綿不斷的夜色中搏鬥。它進攻防波堤、黏土懸崖，它拔除、剖開掩體、沙灘，它瘋了，您瞧，它瘋了。

優美的表達：「夏天在那兒，毋庸置疑的。」對於那些偏執地反對使用形容詞的人來說。它很好，這個「毋庸置疑的」一詞。它避免了「陽光照耀」、「天很熱」、「天氣悶熱」等說法。至於「大富豪」[1]這個幾乎被用做形容詞的名詞，我尋思它是否曾在拉福格[2]的作品裡出現過：「（……）雨停了，天晴了，太陽出來了。它在那兒，大富豪，它現身於晴朗無雲的天空。」

莒哈絲這位詞語巨匠關於姓名和名稱的話語表現總是富有趣味。例如為雷奈的電影《廣島之戀》編寫的劇本裡，很有可能是為了表現她對戰爭的深惡痛絕之情：她剝奪了那些人物的名字，以使他們進入群體，成為他們的國家。在戰爭時期，她不再是瑪格麗特，而是法國。他不再是庫爾特，而是德國。而瑪格麗特無權成為庫爾特的情人。更何況在一切危機時刻、對於任何獨斷專行的組織而言，這都是事實：神職人員（更換名字）、政治派別（禁止其成員結婚），以及我不知道的其他事例。這位女性的作品裡蘊含有一種言語哲學，她好似在研究失語症和鸚鵡學舌；還有誇張，是啊，她創造了一種失語症式的誇張話語。這種話語表明了繁簡適度有可能會變得囉嗦冗長，簡練可能會顯得饒舌。這一點，我之前就知道，因為這正是初看她作品時給讀者留下的印象，如此不加掩飾地露骨到她甚至是在炫耀自己的缺點；我當時不知道，在她最精彩的作品裡，她可以如同一股波浪，看似在滾動著同樣的一些石子，實則是從遙遠的天涯海角把它們帶了回來。這是一種機智聰明的寫作技巧，於是，我們現在發現了莒哈絲的這種寫作手法。

我所找到的這些優點令我決定忘記莒哈絲在她的許多小說裡對動詞「哭泣」和名

詞「淚水」的濫用。對於這樣的一位相當無情的女性來說，此類濫用令人萬分吃驚，我因此不由得暗自思忖：這是由其大腦所授意的對多愁善感之情的表達，換言之，這是一種歇斯底里，客觀反映一位無情女性的觀念，她認為如果自己不使用這些表達憂愁的程式化詞語，我們就不會相信她受到了感動。莒哈絲的優點也促使我決心找到一個如其眼睛顏色般無可非議的特色：她熱中於使用動詞「知道」的癖好。在《史坦因之迷醉》的首頁：「這正是我所知道的。」在《80年夏》：「而對於這一點，我呢，我確信無疑，而且這一點，我呢，我知道它。」在《寫作》（*Écrire*）裡：「在我生命中的每一天裡，我都知道它。」在《死亡之疾》（我們可以將「體裁：神秘莫測」做為其副標題，正如人們給柏拉圖《對話錄》之一《阿爾西比亞德篇》的副標題命名為「體裁：助產術[3]」一樣）裡：「您最終可能會為它命名，如同您具有做此事的知識一般。」不是「如您知道的那樣」，而是「您有……的知識」。在莒哈絲的作品裡，「知道」，它並非毫無意義。或者說「以為知道」。好像一位十歲的小姑娘不停地說「我知道」，正是因為她不知道。而假使沒有人對她說：「瑪格麗特，你到角落那兒去站著！」那麼這是因為他們知道這是她的護身符，不是嗎。在《寫作》一書的後半部分：「孤寂始終以瘋狂為伴。我知道。」這個「我知道」的意思是：我只是模模糊糊地知道它，然而，由於害怕真的有這樣的發現，我搶在惡魔們之前消除它。你們恐嚇不了我（我在害怕），我知道你們可能造成的災厄（於是，我懷著一種勇氣來正視一個令人不快的想法）。因此，她寫出下面的話並沒有什麼自相矛盾之處：「我逃避那些在得知或者看到這些事實後已經會思辨，而且，知道說什麼和如何下結論的人」（《80年夏》）。這並不妨礙她十分堅定地確信那些事實。莒哈絲有著專斷的變化無常。然而儘管她時常大放厥詞，但有時似乎的確會產生某種震動，一種她自己或許也未察覺的微妙變化。《寫作》裡的那句「在我生命中的每一天裡，我都知道它。」或許意味著：「唉，我知道它。」毫不妥協的青春時代已經過去。我們意識到我們將要死去，意識到在人生道路上前行時，只能做到盡可能最好，而並非最好。唉，我們變得寬容起來。我們曾經是聖茹斯特[4]，現在變成了身材臃腫、左右逢源的國會委員會主席。我們本應在三十歲時就被斬首。青春和暮年（兩者之間不存在任何過渡）是思想認識的兩種全然不同的狀態。我們不再是天真無知的年輕人，為了繼續生存且不被權力碾碎而做的種種妥協帶來了寬容，而我們知道有別於寬容但與寬容同樣真實的東西；我們知道這是不容妥協的時刻，如果我們試圖像童話故事裡那樣把擁擠鑽動的蚯蚓變成修長挺拔的花朵，就要斬釘截鐵地在蚯蚓群中筆直行走。生活是由事實組成的故事。生活是散文，而非浪漫詩歌。

1　大富豪，原文為 milliardaire，意為億萬富翁，此處指太陽。

2　拉福格（Jules Laforgue，一八六〇～一八八七），法國詩人。

3 精神助產術，蘇格拉底慣用的辯論術，在討論中透過反駁、啟發，誘導對方自己「生產」出蘇格拉底的觀點，並說這個觀點是對方心靈中本來就存在的。

4 聖茹斯特（Antoine Louis de Saint-Just，一七六七~一七九四），法國大革命雅各賓專政時期軍事及政治領袖，因其美貌與冷酷，被稱為「恐怖的大天使」，熱月政變後與羅伯斯庇爾一起被送上斷頭臺。

為了形式而讀書

Lire pour la forme

「為了形式」（pour la forme）－是多麼糟糕的法語表達方式啊。我在尋思那些相當擅長鑒賞藝術品的義大利人，或者相當愛好禮儀的日本人，他們是否會創造出如此隨意的表達方式來定義一個分外重要的概念。「為了形式」的意思不應該是「首先非常迅速地滿足禮節的需要，然後再談正事」。形式是藝術的莊重表現。它甚至是藝術的主題。您看，人人都有想法。文學的一個定義可以是：「對無形事物的嘗試性表達」。所有的書，哪怕是小說，從力圖擁有某種形式這個方面來看都是一次嘗試。一本書蒐集、丟棄和整理生活的無形，而正是這種形式化使其產生了意義。面對無形無狀難以捉摸的世界，讀者透過閱讀去猜測它的紛繁形態。

1 pour la forme，法語片語，字面意思為「為了形式」，實際涵義為「依照程式」。

讀書時間

Le moment où on lit

讀者閱讀一本自己不喜歡的書所度過的時間可能並非好時光。我們對一位作家的評價不僅取決於我們閱讀其作品的時間，同樣也取決於接觸其作品時我們所處的年齡。作家的年齡，我們的年齡。例如，當我二十一歲時，那時是瑪格麗特·莒哈絲聲名較為卓著而其筆觸卻並非最為細膩的時期。她當時七十歲，對一切都有意見，夸夸其談，好似一隻想把自己變成牛一般大的蛙。不過，她已經相當牛了，因為她剛剛獲得了龔固爾文學獎，其作品《情人》（*L'Amant*）的銷量高達一百萬冊。她進入了接受採訪的時代。她接受《解放報》記者的採訪，接受《另類報》（L'Autre Journal）的採訪，她接受這兒那兒的採訪。同時，在她的書中，她使用蟹步式的優雅文體，探索地側邁一步，再後退兩步；她毫不含糊地在報刊文章中使用最高級[1]。從美學角度來看，她的做法或許不無道理。有那麼多人在報紙上發表言論，為了蓋過那些不和諧的聲音，她必須得提高嗓門。在《解放報》上撰寫關於米歇·普拉蒂尼[2]的文章時，莒哈絲是天使（女性知識份子對大眾趣味那種無意識的屈尊俯就？）。一個孩子被謀殺，莒哈絲認為孩子的母親既是罪犯，同時又是高尚的，必定是高尚的（許多年以後，我認為她是出於一種審美譫狂才這麼說，才使得她曾經希望那位母親有罪過，因為，若有罪過，這位母親就成了美狄亞[3]）。她在一篇文章裡講述自己在密特朗當選法國總統的當晚是如何去拉美大樓，在那裡遇見了「一些有希望當上部長的人物」，這是莫里哀式的文風，她還碰見了一位年輕人對著她手淫，這是莒哈絲的風格。雖然膩煩於做天才，她卻剛剛創造出了一個文學體裁。這位高談闊論而又循規蹈矩的作家不適合滿腦子絕對主義的二十一歲讀者。我認為，假使我當年是四十歲，我會更容易接受她的作品。我會在其中找到樂趣，會更理解她的自負和才華。正如美國作家梭羅所言：「並非所有書籍都如同其讀者一樣狹隘。」（《湖濱散記》）

因此我們可以做自我反駁式的閱讀！矛盾多麼偉大啊！提供矛盾、需要矛盾。智慧的火花正是誕生於對抗之中。

懷疑自己吧。質疑您現在正在閱讀的內容吧。

1 法語的形容詞及副詞有比較級與最高級的用法，與英語近似。

2 米歇・普拉蒂尼（Michel Platini，一九五五～），現任歐足聯主席，前法國國家足球隊隊員。

3

美狄亞，古希臘神話人物，具有魔法，幫助阿耳戈英雄伊阿宋取得金羊毛並嫁給了他；由於伊阿宋後來移情別戀，美狄亞親手殺死了自己和伊阿宋所生的兩個兒子，又用計殺死了伊阿宋的情人。

讀書地點

Le lieu où on lit

我在《滅亡》（*Extinction*）的首頁讀到了自己字跡潦草的筆記：「一九九〇年九月，開羅。」我回憶起那次埃及之行，我在吉薩酒店的游泳池練習跳板跳水，身體後翻時雙眼注視著身後的金字塔，然而我沒有任何關於閱讀湯瑪斯．貝恩哈德這本書的記憶。我能記起它的內容（起碼是貫穿全書的主題或某個句子），可是記不得當時閱讀那本書的情形了。我所想到的一次更為重要的閱讀，是《追憶似水年華》，我記得那是我在圖盧茲學習法律的第一年。我的腦海中再浮現出我那張床，我在七星文庫[1]的陪伴下度過了許多時光的那張床。還有那張長沙發……？還有那張書桌……？還有……？我最為確定的，是我把撕下的一些報紙碎片夾在書頁之間當成書籤，因為我後來又找到它們並且丟棄了，我也曾在一些紙片上做過筆記，但它們之後也都遺失了。我所遺失的，還有我對那些七星文庫作品的敬畏，因為從那時起我就像對待其他書一樣深情地對待它們，在上面勾勾畫畫（雖然是用鉛筆）。最近，當我重新翻開其中一冊書時，我在兩書頁之間找到了一張人字形的紙條，它是我當時對這部小說如何專注熱情的見證。無論我多麼專心致志地努力找回曾經的感觸，這些書依然默默無言。我體會到了讀書的這個重要法則：當我們只是瀏覽一本書時，它不會對我們做出奉獻。我們必須全身心地投入其中，心靈和大腦一樣要全神貫注地閱讀它。

每位讀者在讀書時都是獨自一人，不過他曉得其他人的存在並且有分寸地與之擦肩而過。人人都沉浸於自己的沉思冥想，並且尊重他人的沉思冥想（其實是出於某種傲慢的冷漠：都別去打擾他！）。與那些共同生活卻互不干擾的僧侶們一樣，讀者們構成了社會內部的一個理想群體，社會自身無暇管束，於是對他們持容忍態度，我們都知道容忍之中可能包含的輕蔑意味。偉大的讀者都是些怪物。不過，他們是無害的，除非達到某種程度——那時他們會要求名聲，不再做謙遜者。無害，因為他們沒有忘記自己屬於少數派。在法國，即使一本書獲得成功，我們可以假設它的銷量達到了十萬冊，那麼仍然有六千三百九十萬法國人沒讀過那本書。

人類歷史曾經歷過石器時代、鐵器時代和文學時代。正是在這個時代，這個新近出現於人類歷史、尚未遍及世界的時代，這個不引人注目的團體才得以成立並且不曾受到追捕。在世界最早的電視真人實境秀節目《閣樓故事》[2]裡，觀眾們可以看到一切，從吃飯到接吻，唯有一個舉動被禁止，即讀書。那些製作人十分清楚公眾是怎樣的人，他們不想因為拍攝這個令人反感的實踐活動而引起觀眾的不快。

閱讀使我們從現實世界中暫時抽離。我覺得，聽任自己準確回憶閱讀某本書的時間和地點，可能有悖於閱讀的本質。而由若干避世獨處者在略微古怪的、可以稱之為精神之境的無形空間裡所共同感知的那永恆一刻，就是閱讀。

1 七星文庫，誕生於二十世紀三〇年代的法國經典文學叢書，由伽利瑪出版社出版。

2 《閣樓故事》（*Loft*），法國電視六台二〇〇一年創辦的電視節目名稱。

為了黑暗而讀書

Lire pour l'obscurité

一切都獲得了解放。我讀過書。我讀過書，於是我似乎見到了光明。它只持續了片刻時間。我所見到的，或者說我意識到的，更是啟蒙之光，亦即該詞在十八世紀的涵義[1]。為什麼讀書？為了變得不那麼狹隘，為了不再抱有偏見，為了理解。為什麼讀書？為了理解那些思想狹隘、抱有偏見以及不喜理解的人。黑暗值得我們去瞭解。無論有意還是無意，它都是文學的組成部分。我們可以說它是文學的一個特性和優點。作家大概是唯一不要求擁有純粹性、完美性、正確性的文人，他們甚至把這種缺失變成自身的一個要素，但也不至於因此沾沾自喜——除了盧梭之外。我們讀書，是為了在別人身上看見自身缺點的鏡像，那些我們對自己遮蔽起來的缺點。

1 法語 la lumière 即光亮的意思，而啟蒙運動時代在法語中被稱為 le siècle des Lumières，字面意為「光的世紀」。

為了學習而讀書

Lire pour apprendre

我們可以為了學習而讀書。這是一個分外令人質疑的動機，至少在涉及虛構文學時。我們難道會要求一幅彼得．克拉斯[1]的靜物畫來教我們十七世紀荷蘭的鬱金香文化嗎？我們被告知：透過閱讀大仲馬的小說能出色地學到歷史知識。是的，如果我們願意的話。這是某些人的觀點。但它是錯的。我們在大仲馬的作品裡學到的，就是大仲馬。他關於法國國王路易十三和李希留[2]的觀點當然不是錯誤的，但那是各種不同觀點之中的一種。受到屬於作者即大仲馬的性情的影響。他是一個慷慨大方的人。性情中沒有奸詐狡猾的容身之地。他不喜歡路易十三這個相當奸詐的國王，因而很可能誇大了小說中人物狡猾的一面。正如紀奧諾[3]在《帕維的災禍》（*Le Désastre de Pavie*）中誇大了查理五世[4]斤斤計較的小心眼。正如徹斯特頓[5]在其著作《狄更斯》裡誇大了狄更斯的樂觀。而這很好。那些帶有強烈觀點的作品比那些永遠晦澀不清、觀點中立的作品更有助於我們推敲人物。在有強烈觀點的作品裡，我們知道聚光燈——如同獨奏音樂會裡的照明燈光——分外強烈並且僅僅集中在一部分人物身上；至少那些人的誇張表現是這樣告訴我們的，於是我們明白了這種需要抑制的誇張的存在。在有強烈觀點的作品裡，我們不僅看到了作者，這些被其照明方式所照亮的燈光師，也看到了一個狄更斯，一個查理五世，一個路易十三——有人見過這樣的一個人嗎？這樣的一個人，他存在嗎？如何像這樣？單獨一個人？一個單獨的人存在嗎？人難道不是生活在社會中並受其他人支配嗎？想在一本並非以教學為目的的書裡學到些知識，正如康德談到別的問題時所說，等於付錢給別人，請他替我們思考。

少年時的我讀過許多過往作家的作品，因而形成了一種略微過時的有關生命中種種危險的認識。我有很長一段時間極不信任白吃白喝的人，這是在讀過一位十九世紀作者的作品後形成的執念；而且正如王爾德某個小說人物那樣，我還認為社會上沒有什麼比不付錢給裁縫更理想的事了。後來，在一部當代小說裡，我得知從下向上刮鬍鬚不好，這樣做會使毛髮長得更硬。啊，我再也不會說讀書不是為以後的生活做準備之類的話了！

我對文學的偏愛如此強烈，以至於我不由得對那些旨在教我學會某些東西的書籍產生反感。在我看來，那些書玷污了文學，正如我認為法國國營鐵路公司退休員工的畫展玷污了繪畫一樣。我寧願跟人而非跟書學習知識。

我們欽佩福樓拜，部分原因是為了向他學習。他的確在教我們。他用了五年時間來創作《包法利夫人》！那個大喊大叫的人！那些塗塗抹抹的線條！反覆推敲斟酌字句的寫作手法！那又怎麼樣？所以《巴馬修道院》就不如《包法利夫人》好，因為斯湯達爾才用四十二天就完成了，即使他有所誇張？在所有這一切中，我發現了福樓拜教師般的憂慮（「好動的學生，你專心點。」），更發現了他對藝術的輕蔑，這種輕蔑與作家們聽了一輩子的粗鄙論調相差無幾（「啊，如果我有時間，我會寫出多麼優秀的小說啊！」）。由於他在書信中流露的艱辛寫作的痕跡，福樓拜這位反民主人士也身不由己地成為民主化創作的宣傳份子。無論如何，人總要為自己的成功付出代價。但福樓拜對此毫不在意。一部傑作不在乎他人對它的評論（包括本人在此所作的評論）。在其墳墓深處，他受到自己作品的庇護。愛瑪．包法利和弗雷德里克．莫羅是哈姆雷特、伊凡．伊里奇[6]以及所有得到其創作者深刻理解的人物的兄弟姊妹，這些作者在他們的人物，那些或許弱小、愚蠢、可怕的人物身上洞察出全人類共有的照耀思想的光輝，這種光輝使得數以億萬計的讀者——女人、男人、諾曼第人、外國人，在十九世紀乃至整個人類歷史——說出：「包法利夫人，就是我。」

1 彼得·克拉斯（Pieter Claesz，約一五九六～一六六一），荷蘭靜物畫畫家。

2 李希留（Richelieu，一五八五～一六四二），法國國王路易十三的首相。

3 紀奧諾（Jean Giono，一八九五～一九七〇），法國作家和電影編劇。

4 查理五世（Charles Quint，一五〇〇～一五五八），此為神聖羅馬帝國的皇帝稱號，即位前通稱奧地利的查理，也是西班牙國王卡洛斯一世，開啟了西班牙日不落帝國的時代。

5 徹斯特頓（Gilbert Keith Chesterton，一八七四～一九三六），英國作家、記者。

6 前兩位分別是福樓拜小說《包法利夫人》和《情感教育》裡的人物，後兩者則分別是莎士比亞戲劇《哈姆雷特》與托爾斯泰小說《伊里奇之死》的主人公。

為了自我安慰而讀書

Lire pour se consoler

我們可以為了自我安慰而讀書。這在我看來是又一個更糟糕的讀書理由。況且我們無法達到這個目的。之所以這麼說，是因為文學並非為此而生。文學不是用來安慰人。否則就等於說文學是供讀者消遣之用。況且，如果說痛苦可以被一段單純的閱讀時光擦除的話，那對我們的痛苦是一種侮辱。孟德斯鳩是一位很偉大的作家，然而他曾寫過一句最令人憤慨的話，他說：「我從沒有過閱讀了一個小時仍然無法驅散的憂愁。」我們能怎麼辦呢，這是一個情感淡漠的偉大靈魂。

與前面一句相對應的另一句，是王爾德的著作《謊言的衰落》裡一個人物的話：「我生命中最大的一個悲劇，就是呂西安・德・魯邦普雷[1]之死。」這大概是獨具王爾德特色的一句話，是他先前在一次玩弄辭藻談話中說出的一句話，其實他應當實話實說地承認自己對它的重視勝於一切。王爾德是個夸夸其談的人，但也並非對自己的話語堅信不疑。本文提到的這句話顯然具有唯美主義色彩。唯美主義是冷漠的另一種表現；一種歇斯底里的冷漠。在寫下前面那句話的數年之後，王爾德經歷了一場比自己小說人物的死亡更為痛苦的悲劇。

讀書沒有帶給人安慰。從某種程度上說，它令人灰心失望。失望並不令人憂傷。巴斯卡[2]為我們展示了這一點，那位著有《思想錄》（*Pensées*）的偉大巴斯卡猶如翱翔於天空的雄鷹一般，揮動著發出鏗鏘刀劍聲的羽翼寫作，巴斯卡努力地相信基督徒們信仰的希望，來世身處天國的希望：「我們從未生活於天國，可是我們希望能夠在天國生活，而且我們時時刻刻都在努力讓自己幸福，儘管我們確定自己從來都不幸福。」他簡單地做出了結論：「我們會獨自死去。」而且，這並不悲傷。失望是一個如同雨水或陽光一樣的事實。與其說失望，不如說正是希望可能會令人傷心，因為它給我們帶來的幻覺如同圍巾一樣圍在我們的脖頸上，以便隨後能更緊緊地扼住我們的喉嚨。在巴斯卡和其他數位作家的陪伴下，讀者即能成為既不掩飾事實也不因事實痛苦的成年人。

1 呂西安．德．魯邦普雷（Lucien de Rubempré），巴爾扎克《人間喜劇》裡的一個人物，主要出現在《交際花盛衰記》和《幻滅》兩部小說。

2 巴斯卡（Blaise Pascal，一六二三～一六六二），法國數學家、物理學家、哲學家、倫理學家和神學家。

為了健康而讀書啊啊

Lire pour la santé ah ah

「閱讀一本有趣的書與鍛鍊身體一樣有益於健康」，康德曾經這樣說。我之前很少引用他的話，他為此感奮不已，有人看到他在加里寧格勒-自家花園裡散步時偏離了平常的散步路線有一公尺多。「哈哈！丹齊格引用了我的話。他希望在德國出版德語譯本嗎？他希望自己被一致推舉為法蘭西學院院士嗎？啊！法國人的自負真沒法跟他們的幼稚相媲美！」即使讀書會促進健康，這也不是一個充足的理由。有相當多的事物都促進健康。健康不足以解釋閱讀行為，正如寫作行為不足以被視為一種治療方法。讀者誠心誠意地來看作者的書，而作者對旁人不再有興趣，把讀者的關心甩在一邊。這些毫無價值的自我主義作品應當被扔出圖書館的大門。

1 加里寧格勒（Kaliningrad），位於波羅的海沿岸的俄羅斯海港城市，舊稱柯尼斯堡，一七二四年康德出生於此地。

為了美德而讀書哦哦

Lire pour la vertu oh oh

讀書，這不好。說讀書有益於孩童甚至成年人，更是個大錯誤。因為他們很快就會相信自己不應當這樣做。做出一個看似太合乎美好品德的行為，這樣的想法會令真正具有美德的心靈產生反感。

為了享樂而讀書

Lire pour la jouissance

成功地讀完一本書，如同一次完美的性行為一般少見、有益，並且給人留下一個圓滿的回憶。讀者與讀物同床共枕。

這麼說來讀書其實也參與了寫作，即便這種參與是出於人的無恥，因為寫作類似於性慾。在我剛出道的時候（假如人能夠不用出道該有多好），每當我出版了一本書就非常羞於上街。為什麼我的喜怒哀樂如同性器官一樣暴露在外，但所有人都不說什麼？人們如此無心、如此匆忙或如此自我封閉，甚至連有人可能是赤身裸體他們都看不見。或者他們很有禮貌，假裝看不見。或者有人不讀我們寫的書。總之，聖日爾曼林蔭大道日復一日地被一些從不停步駐留的暴露狂們走遍了，他們就是作家。讀者是作家的同謀。安徒生赤裸裸地站在國王面前。

為了孤立自我而讀書

Lire pour s'isoler

讀書是一種孤立人的嚴重行為。我甚至可以說讀書是為了孤立自己。駭人聽聞！讀者，那些真正的讀者被人厭惡的事實總是令我印象深刻。早在童年，我就曾因為讀書受到攻擊，他們憎恨我的與眾不同，我的閱讀，雖然它僅僅是一種渴望理解、渴望令自己興奮的熱情而已。那些做我的朋友的人都很有勇氣。他們看起來都很古怪。這樣的情形沒有停止過。在服兵役時——兵役這種社會和粗人，即所謂的文明和光榮的野蠻人結成的秘密聯盟，根本就是用來壓垮一切獨立的精神生活的——我邊行軍邊讀書，得到的只有對那些書的譏諷冷笑。在巴黎，我常常邊讀邊走地步行於雷恩街上。那裡，好幾年來，在同一個地方，有一些民意調查員。我可以確定會有一個人按部就班地上前來打斷我，問我是否願意回答幾個問題，而那時我的樣子完完全全是在沉思。我將這種打斷我思考的行為視為一種帶有敵意、不懷好意的舉動。這些人是群體思維的先鋒，諸神都知道民意調查是否屬於群體思維，這種思維受不了看到有人在公然地享受孤獨。讀書對於實用主義者來說是個醜聞。但我們要使之永遠流傳下去。但願讀者們都像我一樣做！讓我們走在街道上埋頭讀書！那些坐著漂亮轎車趕往金融機構上班的高級官員們會減慢車速。他們會驚歎地下車。他們會把自己的斑紋小牛皮公事包扔到空中！將他們的營業帳目和證券交易所股價表拋得四散飛揚！會扯掉他們的領帶，脫掉他們的西裝！於是，城市裡到處都會是一些真正嚴肅的人，他們會裹著纏腰布，在笛聲的伴奏下吟唱荷馬的詩歌！

埋頭讀書，一心一意地閱讀作品。個體的驕傲在思想面前俯首稱臣；孤獨在尋找一個姊妹。由此產生了那些描繪讀者的畫作，它們展現出讀者的靜心沉思之美。

一位正在讀書的婦女，畢卡索畫作，一九二〇年。

我覺得這女性注意力集中在個人娛樂外的某個東西，因而，可能，她是幸福的。她在某種程度上恰恰是一九二二年的這個著名畫面的對立面。

在《第六感追緝令》裡
未穿內褲
叉開雙腿的
莎朗史東

我要感謝運河電影公司（Studio Canal）禁止複製這幅照片，禁止的理由是它會「表現出些許迎合時下的意圖」。的確如此，如果在網路上流轉這幅照片，它只會表現心急如焚的人們的窺視慾；至於透過書流傳，那就更令人難堪了。況且這種禁阻使我能夠進行一個我們或許可稱之為「被閱讀的圖像」的嘗試。這難道不可以是一張用詞語來表達的照片嗎？借用這些令人與圖像產生距離的語言符號對圖像做簡單的描述，這張「照片」同時也包含了對照片自身的評論。我感覺自己將成為觀念藝術家。三個空白的展廳。在最裡面的牆上，鏤花的畫框邊上，用小寫字體寫著：我的名字，「被閱讀的圖畫」以及畫作掛到牆上的日期。在畫框裡，以大小不同的字體寫著畫作的奧秘，以及價格：「在《第六感追緝令》裡未穿內褲叉開雙腿的莎朗史東。」「尼古拉．沙柯吉以法國總統身分第一次出訪，穿上紐約員警的T恤在紐約街道上奔跑。」「弗拉維奧．布里亞托雷（Flavio Briatore）和金髮女郎在遊艇上。」「足球運動員尼古拉．安耐卡（Nicolas Anelka）破口大罵。」畫廊老闆們，輪到我了。紙張下方的評註讀來是否有趣，由你們決定。（作者註）

一位正在讀書的男人，羅傑．德．拉胡雷奈[1]畫作，約一九一〇年。

我想他由於忙著看書，甚至連手中紙張有多柔軟都感覺不出來。他恰恰是雅各．尤達許[2]的這位狼吞虎嚥者（約一六三五年）的反面。

一個正在讀書的孩子，維千佐・佛帕[3]畫作，約一四六四年。

我在想，這個因為讀書以及讀書的念頭而欣喜的孩子，他是否有些故做姿態，我在與他同齡時也這樣做過，為了給大人們留下深刻的印象，他們的確會覺得印象深刻，也或許是裝做印象深刻，我至今還為此感到羞愧，不過與那些專門裝模作樣的人相比這根本不算什麼。這孩子正是下面這個出賣自己的男孩的對立面：

我們不需要聖人及其金鑲玉嵌那倨傲的謙卑，我們不需要豎立在公眾場所抬頭挺胸的大理石軍人半身像，我們不需要某一天在鏡頭前揮舞著那些熱心助人標語的人道主義者，我們不需要所有這些站在我們面前以其道德觀來嘲弄我們的人。讀

者的放肆之處不在於此；而在於行動當中的沉思冥想，在於遠離實際功利的精神，在於低頭閱讀那些文字，從中讀到對我們強化反霸權意識有所助益的知識。對，這也正是我們之所以讀書的原因。我們在不斷前行的力量中穩固住自己那可憐而渺小的存在。我們相互奉獻各自的綿薄之力。

1 羅傑·德·拉胡雷奈（Roger de La Fresnaye，一八八五～一九二五），法國立體主義畫家。
2 雅各·尤達許（Jacob Jordaens，一五九三～一六七八），佛蘭德斯畫家。
3 維千佐·佛帕（Vincenzo Foppa，一四二九～一五一九），義大利畫家。

為了知道閱讀並不能改善什麼而讀書

Lire pour savoir que lire n'améliore pas

讀者那平和、專注、令人有距離感的面部表情使其看似身處異國他鄉。他的確如此。電玩遊戲也令人弓腰欠身沉浸其中，但與它引起的癲狂相比，我們得承認，讀書的全神貫注顯得沒那麼多起伏。暴力之中也可以有靜心思索。一些重大的犯罪就是在平和寧靜中被策劃出來的。我想起了大富翁遊戲。才十四、五歲時，在經歷過一次雖然沒有驚聲尖叫卻異常暴力的遊戲之後，我就決定再也不玩它了。我認為，相信戰爭遊戲比採摘玫瑰更暴力是非常幼稚的。任何遊戲都可能有暴力。「遊戲」一詞——由於依附其上的童年這個概念，以及人們對童年的美好回憶（或許是因為眷戀人生中唯一一段在常理和法理上都能不負責任的時期）——掩蓋著一個事實，即暴力存在於人的內心而非遊戲或讀書之中。這個觀點，有一天我曾當眾說過，當時身邊有位巴黎上訴法庭的大律師，一個相當右傾的人，他聽到我的那番話後著實被激怒了。他當眾表現出憤慨，沒有太多的惡意——那種司法人員一旦對聽眾說話就會拿出的惡意——也比較少有法官申斥律師時的那些戲劇式暴怒。「怎麼，先生！……竟敢質疑讀書是否是文明行為！……」等等。大律師隨後謙遜而又倍感自豪地說自己因讀書而變得文明開化。正是由此，他在不久之後贊同一位電視節目主持人在一本書中所發表的激進言論。而或許正是這種由讀書而得的文明使他的那位十九世紀的同行——皇家律師比納爾——於一八五七年二月向福樓拜提起訴訟，接著又在六個月之後起訴夏爾·波特萊爾，並且透過巴黎的輕罪法庭對兩位作家定罪判刑。所以，請看看一位讀書的文明人是如何打敗十九世紀兩部最偉大的著作《惡之華》和《包法利夫人》的。那位左手拿著書、右手放在大腿上、擺著姿勢讀書的孩子，（據推測）是西塞羅，他的事例表明讀書不能阻止傲慢的讀者為執政當局效勞，或者說，變成權力，因為西塞羅曾經做過古羅馬執政官。讀書對人的教化如此之大，使得那個波士尼亞人加弗利洛・普蘭西普於一九一四年在塞拉耶佛暗殺了弗朗索瓦・費迪南大公，他認為自己遵循了沃爾特・惠特曼的民主主義教誨，他曾滿懷激情地閱讀後者的著作。讀書對人的教化作用如此之大，使得馬克・大衛・查普曼在一九八〇年暗殺了約翰藍儂，當時藍儂正走出紐約的達科塔大廈，查普曼在藍儂的背後開槍擊中了他。查普曼當時隨身攜帶著那本世界上最無害的書，沙林傑的《麥田捕手》，查普曼在書上寫道「這就是我的宣言」，簽名是「荷頓・考爾菲德（Holden Caulfield）」（書中主人公的名字）。我讀的書越多，就越沒有被教化的感受。閱讀偉大作家的作品使我認清自己沒有一刻不是野蠻人、無知的人、最不完美的不完美者，人家不相信我會為此沾沾自喜。我的內心缺少安寧，讀書沒有給我的內心帶來安寧。但我並不因此而怪罪書籍。

樂趣之後

Après la jouissance

那麼請看一讀完書之後我們的自豪感吧。

為了已經讀過而讀書

Lire pour avoir lu

我們自豪，我們讀過書。我認識一個人，他最難聽的罵人話就是：「那個人這輩子連一本書都沒翻開過。」毫無疑問。

讀書的危險

Danger de la lecture

我閱讀《滅男社宣言》，因為在一本書裡看到了薇樂莉・索拉納[1]的名字，於是產生了閱讀它的願望。取其精華，我對自己說，只是為了取其精華。抨擊性文章屬於那類吃下肚很容易就飽的菜，它很快就讓讀者得到滿足。雖然把書中被誇大的以偏概全（對於「男人」）看在眼裡，我也發現唯有這種誇大和它的不公正才能捕捉到某些思想，那些無關痛癢的細小差別永遠觸不到的思想。而我再也離不開它那熊熊燃燒的怒火。讀書：一個點亮自我、熄滅四周光亮的燈泡。

1 薇樂莉・索拉納（Valerie Solanas，一九三六～一九八八），美國極端女權主義者，一九六八年發表《滅男社宣言》，書中宣揚暴力手段推翻政府，消滅男性。

為了不逃避而讀書

Lire pour ne pas s'évader

二〇〇八年二月十六日，當我沿著巴黎里沃利街的人行道走著以躲避成群結隊、筋疲力盡的遊客時，我與一個正在讀書的六、七歲小男孩擦肩而過。由於人行道狹窄，他不得不閃避路人，這使得他有點惱火，他皺著眉頭，頭也不抬地眼不離書。我們得向這些小讀書菩薩們俯首稱臣。正是他們，而非其他任何人，維繫著我們這個世界的非功利性。

我曾經像那個孩子一樣，而且從未停止像他那樣。有一次在倫敦的維多利亞和亞伯特博物館（Victoria & Albert Museum），我才剛到達那裡，但是要進入英國一五〇〇～一七六〇的那些展廳極其麻煩，於是我又離開了。我的大腦當時全都被莎士比亞的《理查三世》佔滿了，我剛剛讀完它的三幕戲。我時不時地全然沉浸於自己讀過的故事以及由此展開的種種想像之中，以至於當我走出博物館時，我驚訝地發覺還存在著一個外部世界。因為全神貫注於書本內容所產生對現實生活的這種心不在焉對我來說習以為常，即使當我在地鐵裡眼睛離開書本抬起頭來發現自己在貝加爾湖岸邊，我都不會吃驚。我會立即重新沉醉於書裡的世界。

我們如同瘋子般讀書的那些時期，它們是什麼？我們在數周時間裡不加考慮地讀書，看過這本書，再看看那本書，讀了一個作者的書，再讀另一個作者的書，然後我們應該恢復體力。我們需要血，血，血！當我是孩童時，母親給我做肉湯吃，我非常喜歡它。我喜歡肉湯的原因之一就是看著那些熟肉片在絞肉機裡被碾磨出汁來。這就是讀書。

如果說我討厭小說裡的大部分對話，那麼正是出於同樣的原因使得那些糟糕的讀者們十分喜歡那些對話。對話使我們脫離了內容（文學）。我們可以逃跑。

贊成閱讀的讀者的天真

Naïveté du lecteur en faveur de la lecture

我心甘情願地受那些表現書籍的非文學藝術作品以及種種訴說讀書好處言論的愚弄。然而歸根究底，並不因為在某位導演執導的影片裡所有人都在讀書就代表這位導演更聰明，並不因為這位參加選舉的候選人談起自己雖然「物質貧困卻有書籍為伴」的童年他就更誠實或更有能力，而且我既不知道里沃利街上的那個小男孩讀的是什麼書，也不知道那本書是否有趣。讀書，或許，只是個好兆頭而已。

為了交友而讀書

Lire pour se faire des amis

假如一個人膽小怕生，不敢與他人攀談，就像我認識的某個人，那麼小說是理想的夥伴。對於偉大的讀者來說，小說人物變得比現實生活中的人更真實。讀者們常常想起那些人物，在書裡拜訪他們，非常喜歡他們，時常想念他們，有時也厭煩他們，總之，那些人物就是朋友。除此之外，這些假想的朋友們沒有一絲一毫的隱瞞。這正是為什麼他們是唯一永遠不會背叛我們的人，偉大的讀者們這樣想著，他們有時候因此忘了現實生活的冒險。

閱讀戲劇

Lire le théâtre

是的，人們是出於對生活的反抗才讀書。生活是做工低劣的產品。我們不斷地在生活中碰到一些無用之人。生活充滿了重複。生活的景致沒完沒了。假使生活向出版社的編輯毛遂自薦，那麼它會被拒之門外。更何況，每當我想到在現實生活中聽到的那些對話。那些對話是多麼遲鈍笨拙、優柔寡斷、老調重彈！我認為這是戲劇之所以存在的原因之一。人類發明了戲劇，因為人們受不了那些可笑無用的談話。而這恰恰說明了為什麼生活的一大樂趣就是看劇本。

讀劇本是這麼令人愉快，尤其是其中沒有舞臺指示的時候，因為舞臺指示極有可能表明劇本作者有小說情結。小說中事件的所有長處，例如謹慎、恐懼、專制，在戲劇裡全都轉變成短處。那些讓想像力自由騰飛的偉大劇本萬歲！而這正是閱讀戲劇的原因之一：解放想像力。另一方面，看劇本又不利於想像力的發揮，因為這種閱讀是快速閱讀，而速度妨礙了想像力在讀者心中安家落戶。讀者剛開始讀「格勒夫人：阿齊茲，快點進來。」到了「瑪蒂爾德：我的阿德里安，你把這叫做開始？」時就結束了。

乘坐計程車到劇院看戲，幾乎要遲到了，人生的樂趣之一！車停下了。正在等您的那個人看到您了。您打開車門，一條腿伸到外面，同時把錢遞給司機，等他找錢。您衣冠楚楚。一場表演即將開始，好極了，非常好！

讀書可以幫我們越過無聊。這或許是個錯誤。如果無聊能得到恰如其分的利用，它有時是引領我們多方面發展的一種手段（何況無聊是個十分個人的概念）。跳過一些頁碼其實比閱讀它們時間更長。因為擔心漏掉某個東西，我們愁眉苦臉地回返前文重新閱讀，接下來又……

我到了凡爾賽公園內由賈布里耶[1]設計成聖安德烈十字架形狀的法國亭前，這是供遊人喝下午茶的地方。在特里阿農宮方向三十公尺遠的地方往左轉。在兩個石柱之間是一個柵欄門。主管特里阿農宮的警衛、手下有二十四名保全的負責人打開了柵欄門，人手太少了，這裡從來都不會無聊，他對我說。幾級臺階後，一間藍色的候見室，接下來，在右側，一個小門：瑪麗安東尼[2]劇場。藍金相間的美妙之地，有擴音設備，有二十個沙發座位的正廳以及一個國王專用的樓廳。王后曾經在這裡表演過，事實上，那是她的失敗。不就是在這裡嗎？她扮演自己丈夫剛剛命人監禁、隨後又由於缺乏把錯誤行為貫徹到底的決心而下令釋放的那位博馬舍的劇作《塞爾維亞理髮師》裡羅絲娜一角嗎？王后當時真是難以選定支撐樓廳的獅子毛皮圖案！那些服侍他們的僕人們一定把她當做瘋子，把國王看成懦夫，並且蔑視他們。在法國大革命時期，這個地方完好無損地留了下來，因為沒有什麼可賣的東西：布景是白紙板做的。我登上舞臺，即使劇場看起來再小，它依然顯得十分空曠。這是中世紀被稱為奧秘劇的戲劇奧秘：演員在表演時被看戲的觀眾神話化了。

戲劇可能是最能激起熱情的表演了，不過它還是一種表演。我時刻提醒自己與一切作品保持距離，只做一個單純的觀眾，或者乾脆做一個消費者；實際上，如果不帶一個做筆記的本子，我不會去看任何演出，包括戲劇之外的歌劇、獨奏、音樂會、芭蕾舞劇。我為自己留出一點餘地。正是多虧這點餘地我們才不再身處邊緣。此外，從某種程度上說，我重新書寫了作品，這齣戲成為一個正在進行中的閱讀行為，導演和演員們的閱讀行為。我邊閱讀這些戲劇表演邊為它們做旁註。書寫的閱讀是最專心的生活方式。

讀書的原因並非永久成立。費內隆[3]在《致法蘭西學院的信》中寫道：「我無法欣賞悲劇中的合唱：它中斷了真正的情節；我在其中根本沒發現什麼地地道道的真實效果，因為某些場次根本不應該出現一群觀眾。」的確；然而這是因為他在莊嚴呆板的時代談論一種比古希臘悲劇更誇張的莊嚴呆板——如果我可以這麼說的話——而也正是這一點使得他在做過理性思考之後感到惱火。我們如今生活在沒有國家儀式的時代（因為在電視轉播的公共活動裡便可見到儀式），我們受到這些合唱的吸引，其中的古韻在我們聽來顯得新鮮。我讀書的種種理由也具有時間性。

1 賈布里耶（Ange-Jacques Gabriel，一六九八～一七八二），法國建築師，於一七四二至一七八二年間擔任法國國王首席建築師。

2 瑪麗安東尼（Marie Antoinette，一七五五～一七九三），法國國王路易十六的妻子，法國大革命時期與路易十六一起被革命者送上斷頭台。

3 費內隆（Fénelon，一六五一～一七一五），法國作家和神學家。

為了我們之間津津有味的讀書樂趣而讀書

Lire pour le plaisir de lire des livres délicieusement entre nous

《第一個童年》，柏納斯勳爵[1]著（一九三四年）；
《半世的一夜》，阿爾貝托．阿爾巴齊諾[2]著（一九六四年）；
《偉大的韋伯斯特奶奶》，卡洛琳．布萊克伍德[3]著（一九七七年）；
《一位陌生女人的遺跡》，尤蘇勒．莫里納羅[4]著（一九八七年）

屬於那種存在時間比我們的生命更長久的失敗作品。很少有人讀過這些書，也沒有人買這些書。失敗的作品，失敗的作品！你們是令那些讀者大眾無動於衷的失敗者，因為他們只想讓勝利者留存於世！只有三到四百個人知道它們是些幽默、憂鬱、諷刺或創造性的傑作，天才在其中一閃而過。為了我們，為了我們這個小團體——正如塞內加[5]所言，但我們絕不是斯多噶主義者——我永遠都不會說出其他書的名字，哪怕受折磨被強迫看偵探小說。為了發現這些莫大的樂趣，我們這些人是怎麼做的呢？我們嘗試：爛作品，算我倒楣；再試一本，稍好點；接著試。隨時埋伏著伺機擊退讀者的有懶惰、怯懦以及更具危險性的——自謙。對讀物的嘗試如同試鞋。我們不應該覺得這本或那本不適合我們是因為我們配不上它。有些讀物其實配不上我們。

1 柏納斯勳爵（Lord Berners，一八八三～一九五〇），英國作曲家、畫家、作家、外交家。

2 阿爾貝托．阿爾巴齊諾（Alberto Arbasino，一九三〇～），義大利作家。

3 卡洛琳·布萊克伍德（Caroline Blackwood，一九三一～一九九六），英國女作家。

4 尤蘇勒·莫里納羅（Ursule Molinaro，一九一六～二〇〇〇），小說家、編劇、翻譯，二戰前在巴黎生活，一九四九年到紐約擔任聯合國譯員，幾年後開始從事寫作。

5 塞內加（Seneca，約西元前四年～西元六五年），古羅馬斯多噶派哲學家、劇作家和政治家。

讀者是一只裝句子的袋子[1]

Un lecteur est un sac de phrases

這位作家完成了一本書……「完成」（faire）一詞在法語中有「排泄、拉屎」的意思。——您夜裡要趕去哪兒？——我希望親自去評判。誰，無比的炫耀賣弄，立身於自己的作品上，心醉神迷？模糊的直覺穿過了那個傻子。女神，請你為我們歌唱阿喀琉斯的憤怒吧。這是我們的悲傷之冬。一個用來自縊的絕妙時間。他們走了，我生命中的這些王者……巴巴爾王[2]萬歲！賽萊絲特女王萬歲！奧德修斯繼續自己的海上旅行。卡莉普索[3]因為他的離去而傷心不已。我構想了一幅卡莉普索的哀痛的美麗圖景。我們談情說愛，因為我們害怕談及其他。我愛你，我對她說！……這是莎士比亞式的風格！……女性將會擁有戈摩爾，而男性將會擁有索多瑪[4]。所以愛情變幻無常地引導著我。——什麼風把你吹來的，我的女兒？——擔心你，父親。早在我幼年時期，父親就多次對我談起金閣寺。並對我說：「他不再是孩子了，他的興趣不會再改變了，等等」，我父親剛剛一下子讓我走進了光陰的世界。我認識的幾乎所有作家都喜歡他們的童年，我討厭自己的童年。我的父母親向我展現的永遠都只是不幸，他說。——那麼，你靠什麼生活呢，漂亮的小傢伙？——我做些修修補補的零工。令人悶悶不樂的羞慚／充當我的睡眠／自玫瑰始漸消散／太陽的表面。這看起來押韻。在亞歷山大體[5]的詩句旁，從頭至尾，放上一種隨意演奏的音樂遊戲。當傷心的時刻到來時……您看到魏德曼[6]出現在一個長達五小時的電視節目裡，頭纏白色繃帶。我宣布我的罪行並宣稱無需做任何辯護。這裡也是沼澤。我們大家都陷身於泥潭之中，不過某些人在看星星。戰鬥……您的想像……心靈……回憶……許多節日。他們可能是巨人，可能會每天晚上放焰火、吞食孩子。假使我們觀察人類，就會發現幾乎所有人都過著一種或靦腆或有爭議的生活，發現大多數人都憂鬱而死。列隊行進之後，死者們坐在一起看電視，他們必定被電視所吸引，因為他們在電視上看到了你和我。[7]每個天使都很可怕。[8]真正的生活，最終得以揭示和重見天日的生活，因而是我們唯一確實經歷過的生活，就是喏喏喏喏喏；我說完了。

1 本文中的句子來自不同時期、不同體裁的文學作品。

2 巴巴爾王，童話故事裡的大象之王，與賽萊絲特女王同為西方兒童文學和動畫片裡的主人公。

3 卡莉普索（Calypso），希臘神話裡的一位女神，她愛上了古希臘英雄奧德修斯，並以魔力將奧德修斯困在自己的島上七年，後來深愛自己妻子的奧德修斯離她而去，回到自己的家鄉。

4 「女人有她們的戈摩爾（Gomorrhe），男人有他們的索多瑪（Sodôme）。」這是《追憶似水年華》第四卷的開篇引語，與同性戀議題有關。

5 亞歷山大詩體，法國的十二音節詩體。

6 魏德曼（Jens Weidmann），是德國總理梅克爾在經濟事務方面的重要顧問。

7 該句原文為英語。

8 該句原文為德語。

讀物是紋身

La lecture est un tatouage

在一個作者寫下的全部句子中，如果讀者記住了一句——哪怕是唯一的一句，那一句包含了他記憶中的所有其他句子並幫助他維持一種興趣、喜愛和重新閱讀的可能性——那麼作者就會得到拯救。

免受人類評價的作品最終會在可怕的痛苦折磨中消逝無蹤。

薩繆爾．貝克特，《世界與褲子》（*Le Monde et le pantalon*）

在法國，由於喜歡簡化自己的選擇，我們很喜歡那些相當於資深紋身師的箴言作者。我們走進他們的書裡猶如走進了一家紋身店，那些箴言好像拓印著龍、海豚、骷髏頭或部落圖騰的紋身圖案一般貼在牆上。它們永久地給我們的思想紋身了。我們高興地重複著他們的句子以便得到永恆循環的喜悅，一位擅打筆戰的作者戲謔地稱那些豪華版的箴言作品為「引言國際歌」。（除了引用幾句他自己的話以外，他未作任何引用）

我的思想逃離了我。我不得不一邊說著話，一邊突然從它的背後捉住它。

蘇珊・桑塔格，《重生》（*Reborn*）

「短句，親愛的……」這是誰的話來著？富奎・達維爾－對瑪麗安東尼王后說的話嗎？……有一種短句論，它如同一切意識形態，否定生活的多樣性。兩者兼具的作品比較好：具有短句敏捷度的長句，和長句溫柔感的短句。全部是短句的作品常常給人一種沒完沒了的感覺。除了那些有意而為的書。箴言集的一大好處就是我們可以回應這些箴言。小說或文論的讀者則陷入網中無法自拔，而箴言與箴言之間的空白則為添加一個由破折號[2]引導的發言留有餘地。巴斯卡：「所有人都在尋覓幸福。」讀者悄聲地問：「你這麼確定嗎？難道你不是個反證嗎？」讀者喜歡箴言，因為它們為他留下了對話的幻覺。

誰像法國人一般輕鬆？誰像法國人那樣為了看貢多拉而到威尼斯去？

渥文納[3]，《道德箴言錄》（*Réflexions et Maximes*）

其實，巴斯卡並非箴言作家。他的語句和斷片被稱為「思想」，這個命名很準確；因為其作品內容涉及評價、讀書筆記、備忘錄以及對蒙田的惱火評語等等一切反映其個性的文字，都是他的思想暗流的復活。那其實是一部論著，其中的空白有待他填補。他有可能撰寫過這本書嗎？至於箴言，它們不是引言。引言，如同西斯汀教堂穹頂上那被反覆複製過的上帝的食指，是一個脫離了其創造者的部分，一個作者沒必要非得揭示其整體的部分。尤其在小說中。小說人物的言語無法被安到作者頭上。《追憶似水年華》那個嗜好追究詞源的傻瓜布里肖（Pr Brichot）的一句話，是普魯斯特的一句話，並非普魯斯特的一個思想。

您在生活中沒碰到過那麼多的笨蛋？您的小說也需要那麼多的笨蛋嗎？

安德烈．馬律羅致羅傑．斯特凡[4]，《一切均好》（*Tout est bien*）

箴言是最接近作家本人的文字作品，幾乎是其思想和情感的直接表露。箴言不是摘錄，而是精髓。一個經過雕琢的完美成品。一顆子彈。作者將其瞄準他稱之為

「人」的對象。箴言作者心甘情願地成為憤世嫉俗的人。一般說來，他們是生活中的失敗者。拉羅什富科[5]在自己的軍人生涯中受挫，渥文納與投石黨運動[6]一同遭到了失敗，尚福爾[7]生來就是失敗者，因為他在貴族的時代裡生為平民。箴言因而常常帶有失望、蔑視或厭惡的口吻。箴言是治療痛苦的糖衣藥片。它將這種痛苦傳達給我們。讀者為此而欣喜。與小說相反——讀者在小說裡力圖與人物一體化——他可以隨意地蔑視箴言所針對的人，這個「人」。「人」是箴言作家賦予其私敵的高貴名稱。人，就是他者；不過並非距離遙遠因而可親可愛的人，不是，而是在近處的人，這個垃圾。人，就是鄰人。讀者只需再跨一步就可以得出「人」即為他（讀者）的結論，很少有讀者邁出這一步。「大多數人的認同只不過是一種想要得到更多好處的私慾」（拉羅什富科）。啊，人這個混蛋！這個混蛋並非指我，而是指除我之外的他人！箴言指出他人——一個身為理想惡人的他者——的錯誤。即使這裡面有一些基督徒，他們承認自己的錯誤，那也永遠不會是這些箴言作者，也很少會是箴言的讀者。

俄國人非常嚮往高尚的思想，可是，為什麼他們在生活中如此鄙俗呢？

契訶夫《三姊妹》中，里維爾辛寧的話

這些箴言作者被稱為倫理學家。這就是倫理學家之所以僅僅出現於法國這個具有評判傳統國家的原因。更糟糕的是，這傳統還會下結論。法國人會試圖瞭解誰和誰睡了覺以便從中推理出某些原因。這在英國是不可能出現的，英國人羞怯靦腆，並且大多數人都生活在鄉村（這是同一回事）。箴言往往是一個由正題、反命題構成的三項推理，活像一個能把人壓碎的核桃鉗。難道就是由於這個原因，人數雖日漸減少卻持久不肯消失的箴言讀者，都是些無情而又十分年輕的人，或者是一些無動於衷的高齡老人嗎？

因為青春……

維吉尼亞・吳爾芙，《自己的房間》

閱讀箴言等同於紋身，如此相像以至於那些並不一定酷愛箴言的讀者，當他們發現一句令其印象深刻的箴言時，甚至都會將它紋刻於自己的身體上。此類紋身並非圖像。英國歌手羅比・威廉斯在前胸紋上了下面這句法語或大體為法語的句子：「各有所好（Chacun à son goût）。」

無牙，無眼，無味，一切皆無。

莎士比亞，《皆大歡喜》

正像在所有的書裡——所有的書，甚至莎士比亞的作品，甚至普魯斯特的作品——

箴言集裡也有廢話。只不過這種無用的廢話在箴言集裡出現得更多。我們可以說它們是些有輔助作用的句子。「沒有什麼如同自己的生命一樣是人類寧願保留而不願揮霍的了。」（拉布呂耶[8]）對，當然了。除了那些冒險家、受虐狂、怪物們。「一個微笑，它一文不值。」（輔助句）對，當然了。除了那些尖酸刻薄的人、脾氣暴躁之徒和大多數倫理學家。對於那些倫理作家而言，一切皆為戰爭。除了他們自己經常發起的戰爭之外。他們時常談論戰爭，好像戰爭就是愛情。這兒的戰爭，那兒的戰爭，恍若從天而降的神祇。好像人類對此無能為力。人類在作惡，然而卻非出自本意。事實上，倫理學家們所攻擊的正是這種命定性。他們害怕它，他們相信它。少見的那一位並不認為人類是仇恨攪拌機的倫理學者是儒貝爾[9]，那位「只關注他人的自私者」，借用夏多布里昂這位只管自己的自私者的話。儒貝爾曾寫過一句最感動人心的話，因此也是與箴言的苦澀名稱並不相符的一句話：「當我的朋友們是獨眼龍時，我就從側面去看他們。」

我要告訴您法拉里斯（Phalaris）的一個動作，不全然是他的習慣動作。這個動作表現出人類的內心情感，因為它看起來不像是他所做的動作。

埃里亞努斯10，《多變的歷史》

最優秀的倫理學家是那些除了做道德評判之外也能表現自己個性的人。當一個人有了才華，他會忘記道德，發現情感。（箴言。）甚至連冷漠無情的拉布呂耶都可能發自內心地吶喊：「要對某人滿意是多麼難啊！」有些人成為詩人，如巴斯卡。他比尚福爾更有人情味，因為他寫道：「巴黎，這個五分之四的居民死於抑鬱的地方，真是逗趣、享樂的城市？」法國人如此喜愛箴言，以至於除了專家之外還有許多業餘愛好者。許多作家都曾經在某個時候發表過箴言。如同古典主義時期的箴言集一樣，我們可以把現代的法國箴言輯錄成集。

寫作的藝術就是變得枯燥乏味的藝術。

保羅・李奧圖[11]，《一日談》（*Propos d'un jour*）

我們用自己的聲音作詩。如果我們能更深入瞭解這個十分真實的關係，就會知道拉辛的聲音聽來如何。

保羅・梵樂希，《自我書寫者》（*Ego scriptor*）

除了宗教和性，我可以如僧侶一般生活。

愛德華・列佛[12]，《自殺》（*Suicide*）

無論誰的死亡都是完整的死亡。「無論誰」是指所有的人。

瑪格麗特・莒哈絲，《寫作》（*Écrire*）

最氣勢磅礡的一句箴言應當是：

任何激情終結之後都會再現怯懦。

儒勒・巴貝・賓維伊[13]，《日記》（*Memoranda*）

我好像見過一位同性戀女歌手的後背紋著這句話，她頭腦聰明，曾經有過感情創傷，性格粗暴，沒沒無聞。不過這些都不大受公眾關注。

我會固執地拒絕下一個對我說「聖誕快樂」的人。

梅娜萊[14]在《瘦子》（*The Thin Man*）裡的台詞

箴言集屬於那一類需要以最慢的速度閱讀的書籍。它們具有高濃縮性，「服用」

過量有可能會導致頭暈目眩。

我們強烈建議我們的讀者必須在見到所有這一切恐怖之前死去。

艾利克・薩蒂[15]，《一八八九年預測》（*Pronostics pour l'année 1889*）

1 富奎－達維爾（Fouquier-Tinville，一七四六～一七九五），法國大革命時期的重要革命活動家之一。

2 法國文學作品的對話常常由破折號引導。

3 渥文納（Vauvenargues，一七一五～一七四七），法國作家、倫理學家、隨筆作家。

4 羅傑・斯特凡（Roger Stéphane，一九一九～一九九四），法國作家、記者、抵抗運動成員、《觀察家報》的創辦人之一。

5 拉羅什富科（La Rochefoucauld，一六一三～一六八〇），法國作家、倫理學家。

6 十七世紀中葉法國反專制制度的政治運動。

7 尚福爾（Chamfort，一七四一～一七九四），法國詩人、記者和倫理學家。

8 拉布呂耶（La Bruyère，一六四五～一六九六），法國倫理學家。

9 儒貝爾（Joseph Joubert，一七五四～一八二四），法國倫理學家和隨筆作家。

10 詭辯者艾里安（Elien），拉丁文姓名為克勞狄烏斯・埃里亞努斯（Claudius Aelianus，約一七五～約二三五），古羅馬歷史學家和演說家

11 保羅・李奧圖（Paul Léautaud，一八七二～一九五六），法國作家。

12 愛德華・列佛（Edouard Levé，一九六五～二〇〇七），法國作家、藝術家、攝影師。

13 儒勒・巴貝・竇維伊（Jules Barbey d'Aurevilly，一八〇八～一八八九），法國作家。

14 梅娜萊（Myrna Loy，一九〇五～一九九三），美國女演員。

15 艾利克・薩蒂（Erik Satie，一八六六～一九二五），法國作曲家和鋼琴家。

為了發現作家未說的話而讀書

Lire pour découvrir ce que l'écrivain n'a pas dit

我們可以為了發現作家沒有說出的話而讀書。我們通常正是在閱讀之後的遐想時間裡對此作出思考，那時我們抬起頭，屈起的食指點著嘴唇，目無焦距地看向遠方。喏？夏多布里昂，他在自己的作品裡從來沒有提起過斯湯達爾，一句話都沒有……然而，和夏多布里昂一樣同為外交官的斯湯達爾則援引過一些知名度遠遠低於自己的作者的話語……是的，而夏多布里昂只稱讚那些屬於自己那幫人裡不如自己的人。一切都必須為他的榮耀服務。他甚至可能都不具備那種為非自己

「圈子」的圈外作家說說好話的策略觀。（何況他並沒有這樣的圈子）夏多布里昂或許認為斯湯達爾有一個作家圈子，而他自己有的只是朋友。斯湯達爾在英國報紙上匿名發表文章，稱夏多布里昂為江湖騙子，不過我們確信夏多布里昂身邊一位善意的親友將此事告知了他。夏多布里昂不會討好一隻蚜蟲，他甚至連蚜蟲為表示存在而故意叮他咬他的那種叮咬都感覺不到！瑪格麗特．莒哈絲毫不羞愧地談到自己的酗酒問題，卻在書中隱瞞了自己的吝嗇。為什麼？吝嗇難道是一種令人更加感到羞恥的缺點嗎？這可能有些異乎尋常。吝嗇鬼們通常都極為欣賞自身的吝嗇。他們知道人們嘲笑其吝嗇，不過他們認為這是一種不公正的態度，認為人們並不明白，吝嗇在他們看來，事實上是種痛苦的美德。吝嗇是那些沒有其他才華之人的才華。莒哈絲有才華，而且對自己的才華不只一點點自信。因此她身上的虛榮扼殺了她對自己吝嗇的意識。她還隱藏了其他事情，隱藏了所有她欠另一位作家的一切。（噢！像她這樣的大有人在）她的早期作品帶有二十世紀三

○年代的現實主義風格，與克勞德．法萊爾（一八七六～一九五七，海軍少校，一九○五年獲龔固爾文學獎，一九三五年當選為法蘭西學院院士）的文風相近，後來在另一位作家的影響下，她擺脫了現實主義的文風，雖然她從未承認過。她竟敢在〈年輕的英國飛行員之死〉中寫道：「有一種非寫作式寫作。有朝一日，它必會出現。一種簡要的無文法的寫作，一種僅為詞語的寫作。那是一些無語法支撐的詞語。就在那裡，被書寫在那裡。而且很快就被丟棄在那裡。」我認為她之所以敢如此寫，是因為她沒做相應參照，那個我們不可能想不到的參照，那個她不可能想不到的參照，那位在她之前就曾經毫不掩飾地這樣寫過的貝克特。（〈年輕的英國飛行員之死〉是《寫作》中的一篇美文，完全不像您眼前這本書，它綿長、修辭華麗、書面化，寫得很好）貝克特這位消瘦且文風清瘦的作家，使整整一代文學成為過時落伍的文學，那就是仗著蛀蟲權威體制拒絕退居二線並且代代相傳的第二帝國至第三共和國時期的文學。這包括法蘭西學院的常任秘書喬治・杜阿梅爾，以及龔固爾學院[1]的亞歷山大・阿霍奴[2]、羅蘭・竇哲萊斯[3]、亞維・巴贊[4]和安德烈・比利[5]（亞歷山大・阿霍奴、羅蘭・竇哲萊斯、亞維・巴贊、安德烈・比利！），直至二十世紀六〇年代，甚至之後，沙特本人也未能脫去脂肪，我們可以說他是虛胖。突然來了一個瘦子，於是胖子們開始消脂減肥，輕飄飄地飛向天空。瘦骨嶙峋的文風將會被另一種偏愛噁心的文風所取代，但它來得很慢。

書中不曾出現的內容可能比那些故弄玄虛更具有揭示意義。我讀到一本有關捕殺人的有趣的書，是由一家完全符合道德規範的正規出版社出版的。是真正意義上的對人的捕殺。各種人：女巫、黑人、猶太人，各種人，唯獨沒有同性戀。同性戀的事實不僅有確定出處而且在一些國家裡極為常見，雖然這些國家自詡不像蘇丹那樣對同性戀執行死刑，也不像牙買加那樣，看似熱情的雷鬼音樂（Reggae）

國度，卻有「同志」遭到私刑，不，不，即便在以人身保護令聞名的英國、魅力四射的義大利和放縱的法國，也有人在停車場裡用匕首刺殺同性戀者。當人拒不提及這類事實的時候，他也因為閉口不談的這類事給自己下了定義。如果我可以因為這本憎惡同性戀的書屬於人類學而談起它，那麼對於虛構文學作品來說這是不可能實現的。任何一本虛構作品都不追求一般性，而是保留其特殊性；它不尋求全面，而是力圖窮盡細節。如果有一部虛構作品的標題為《捕殺人》，那麼它會僅屬於一個人，有屬於他／她的特別膚色、特別遭遇、特定時期和特別的性別趣味。作者不會想從中吸取一個教訓，吸取一個普遍適用於所有人的教訓，而是確定一個教訓，如同我們平常所說審訂一篇古文；不是說：這就是社會，而是說：這就是如何研究某個事例的方法。兩者是不同的感知世界的方法。一篇關於私刑的論文是一回事，一部福克納的小說又是另一回事。而福克納在政治上一無所獲，因為，正如所有的好書一樣，他的作品都是極具形式感的設計。

某些虛構作品有政治效應。《黑奴籲天錄》（一八五二年）喚醒了美國公眾對黑人境遇的憤慨。為什麼描寫一個黑人參與奴役其他黑人的故事《奴隸船》（Tamango）沒有產生任何效果？大概是由於同樣的原因：哈里特．比徹－斯托和普羅斯佩．梅里美[6]都有一種意圖。一種非形式的意圖；一種政治意圖。讀者感到作者在操控故事，便做出了選擇。在這種情況下，他捍衛弱者。不是因為讀者比選民更好，而是因為，每個走出文學想對某些民眾講話的作者都找到了與自己口味相符的民眾，梅里美找到了一個嘲諷者組成的小圈子，比徹－斯托夫人找到了一個為數眾多的、善意的大眾。即使《黑奴籲天錄》是本厚書，它使讀者感動地站在奴隸這一邊，即使《奴隸船》的頁數不多，這本薄薄的書依然是一部諷刺作品，而我們只能自言自語：那又怎麼樣呢？有一些黑人參與販賣黑人奴隸，難道這樣就應該為販賣奴隸辯護嗎？或者輕視黑人，就因為在那些有負面意圖的小說裡，或者又如在那些描寫二戰期間與德國人合作的法籍猶太人的小說裡，含有這樣的內容？讀者完全能識破虛偽。於是，讀者或者喜歡虛偽，因為它與讀者的取向相同，或者不喜歡虛偽，因為這令他不快；他可以宣揚它從而向它歡呼，或者蔑視它從而擊破它。

1 法國最重要的文學團體之一，每年評選當年出版的一部最佳小說，頒發龔固爾文學獎。

2 亞歷山大．阿霍奴（Alexandre Arnoux，一八八四～一九七三），法國小說家和劇作家，一九四七年成為龔固爾學院院士。

3 羅蘭．竇哲萊斯（Roland Dorgelès，一八八五～一九七三），法國記者和作家，一九二九年當選為龔固爾學院院士。

4 亞維．巴贊（Hervé Bazin，一九一一～一九九六），法國作家，一九六〇年當選為龔固爾學院院士。

5 安德烈．比利（André Billy，一八八二～一九七一），法國作家，一九四三年當選為龔固爾學院院士。

6 普羅斯佩．梅里美（Prosper Mérimée，一八〇三～一八七〇），法國作家、歷史學家和考古學家，《奴隸船》的作者。

為了惡習而讀書

Lire pour le vice

哲學家維克多．古桑[1]曾說：「每當我睡覺時，我就登上了斷頭臺。」童年、少年、青年時的我和他一樣。我現在還是如此。停止寫作，停止讀書，停止娛樂，都是為了這個！應該把我推向墳墓，我會用腳後跟抵著沙礫阻止我的骷髏身體前進，同時我的手還在翻動著一本書，我的頜骨會卡卡作響地抗議：「我還沒看完！我還沒看完！」啊，怎樣的惡習啊。

我沒怎麼提過瓦樂希·拉赫博[2]的那一句「閱讀，這個未受懲罰的惡習」，但其實已經受到過懲罰，既受到了民意調查員的懲罰，也受到了由於花時間閱讀因而妨礙我們所做的一切事情例如致富的懲罰。拉赫博看不到這個事實，因為他很富有。不，我談的是偉大讀者的惡習，他們由於讀過很多書，養成了挑剔的品味，他們只喜歡極其高雅甚至錦上添花的文學。我興高采烈地從巴爾貝·多爾維伊的《唐璜的更美好愛情》（*Plus bel amour de Don Juan*）的世界走出來。並非斯湯達爾（巴爾貝與他分外相像）所能給予的那種醺醺然的幸福，而是品酒行家遇見精釀烈酒般的愉悅。它缺少純真，但它並不想要純真，它如同天主教、神父以及其作品中遍布的教義一般壞（啊，他與斯湯達爾是多麼不同啊！），可是他是怎樣的天才啊！一個如同所有人一樣講究形式的天才，而且由於這種形式是內容的回聲而更加天才。他的邪惡的故事，他以邪惡的方式講述這個邪惡的故事。「因此他一直活著，這個老壞蛋？」作品的第一句話這樣說，而某人甲回答說在一次參加晚宴之後，某人乙給他講了一個奇特的故事而這個豔遇故事不斷地被延遲，賦予敘事一種精確的節奏，一種手淫不停地被打斷而不斷推遲快感到來的精確節奏。

我相信我們透過閱讀來學習閱讀的技巧與透過寫作來學習寫作的技能一樣。如果說寫作不會隨著我們的年紀漸長而變得更容易，那麼閱讀也不會。或許與技巧無關。「技巧」這個詞語是二十世紀五〇年代文學的殘餘，《生活的技巧》（*Le Métier de vivre*），雷希斯[3]的作品，所有這一切。閱讀技巧和寫作技巧一樣。正如伍迪·艾倫所說：「我上過速讀課。我讀了《戰爭與和平》。故事發生在俄國。」

因此不必問我讀了什麼。由於讀過許多書，有時候我的愛好挑剔到建議別人讀一些稀奇古怪的書，讀一些最不常見的代表作：讀《亨利四世》而不是《馬克白》，

《杭斯傳》（*Vie de Rancé*）而非《墓畔回憶錄》（*Mémoires d'outre-tombe*）。偉大的讀者們都是些反覆拿起酒杯的酗酒者，反覆品嘗美味的葡萄乾蛋糕的癡肥者，抹上一層又一層帶亮片的指甲油的少女，增加小擺設的裝潢師，躺在美容手術臺上用兩根有力的手指拽住外科醫生的袖子以平靜卻迫切的嗓音說：「讓我的胸部再豐滿一些！」的女士。正是有賴於這種過度的貪婪，那些以作品艱深難懂而聞名於世的作家們才得到讀者的賞識。如果沒有這些貪婪地追求美味的偉大讀者們，人們會無限期地停留於節食型作家的作品。也正是多虧了他們，那些在生前取得巨大成功的作家們才不幸地被重新加以自由選擇。喬伊斯，你們明白，十分主流，從那以後。從奶油果凍到奇異果。三十年前，奇異果在歐洲是種稀罕的水果，我們從最初自紐西蘭進口發展到現在甚至能在英國種植。沒有人質疑喬伊斯的才華，所有人都明白他在《芬尼根守靈夜》中創造新語言的失敗嘗試的重要意義（因而，從某種意義上說也是他的成功，因為美學上的成功有時就在於嘗試，它與3G並列為二十世紀最有趣的發明），有的讀者為他的「經典」敘事作品如《都柏林人》辯護，我很喜歡這部作品，一切都很好。非常之好，以至於如果沒有我，誰還會跟您說，喬伊斯，了不起，但是還有高斯華斯[4]呢？啊，我知道，我知道。我自己，我也是很晚才去看高斯華斯的。而且是在破除了一個由來已久的偏見之後，因為在我的少年時代，曾見過無論誰家都擺上幾卷本的《福爾賽世家》，確實如此，甚至包括那些從來不看書的人。如今我已不再讓十七歲時的那個毫不寬容、愚昧無知的我主宰自己成年後的思想。當一個作家獲得了世界上最著名的文學獎，怎麼不會家家都有他的作品呢？幸好他得了諾貝爾獎。他一定十分高興。那將他從痛苦、徬徨等一切有可能擾亂其創作的情緒中解放了出來。起碼我希望是這樣吧。我不瞭解高斯華斯的生平，不過這通常是成功的幸福效應之一。我呢，我十分擁護成功，尤其是當成功走向有才之士時。我尋思高斯華斯是否剛剛獲得諾貝爾獎便辭世了，沒能親手收到獎項，或諸如此類的情形，令那些道學家們、那些他人眼中的理想主義者們感到滿意。「呃哦，沒拿到真有份量的獎，也沒能享受獲獎時刻，評委會的良心發現來遲了，這種事我見太多了。唉……再來一杯苦惱吧。」

偉大讀者的優點在於他們從未達到百分之百的相對主義，恰恰相反。假使我能夠在他們的身後停留片刻，我不想為了彌補一個不公正而製造出另一個不公正來。我沒有把高斯華斯視為與喬伊斯並駕齊驅的人，我僅僅是說他有自己的一個位子。《福爾賽世家》就像一部左拉寫的諷刺作品，我覺得它僅限於一個層面，諷刺，而喬伊斯則光彩奪目、出人意料，他是真正的大作家，不過高斯華斯比那些研究喬伊斯的人更好。他獨自一人做過某種嘗試。

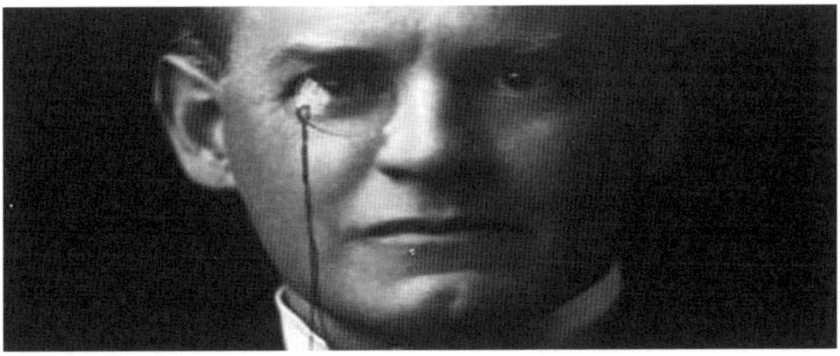

約翰，讓我們看看你的短淺目光。

諾貝爾獎。多麼標準的名字。太英國化的名字。但世界將被已獲獨立的原殖民地居民們佔據，那些大英帝國以外的人，愛爾蘭人，安地列斯人，為什麼不呢？再加上一點兒管家的風格。並非喬伊斯式的笨手笨腳的優雅，不，而是一種僕從模仿主人的優雅，並且帶著信仰這種優雅的愚蠢，而人們卻並不以幽默的態度看待它。後世是無常的。

相對主義有其好處。正是它阻止了戰爭。相對主義審慎地確定，人們的所思所想並非真理。反相對主義者常常是一些狂熱份子，他們不言而喻地認為自己的想法必定是絕對標準。於是有人會以此要脅他人。但既然有喬伊斯，也要有高斯華斯。既然有我，也要有其他人。讀書可以教會我們這個，如果我們能夠看一些跟自己唱反調的東西的話。

還是別問什麼建議了，直接竊取財富吧。

1 維克多．古桑（Victor Cousin，一七九二～一八六七），法國哲學家和政治家。
2 瓦樂希．拉赫博（Valery Larbaud，一八八一～一九五七），法國詩人、小說家和隨筆作家。
3 雷希斯（Michel Leiris，一九〇一～一九九〇），法國作家、人文學家和藝術批評家。
4 高斯華斯（John Galsworthy，一八六七～一九三三），英國小說家和劇作家，《福爾賽世家》是其代表作，於一九三二年獲得諾貝爾文學獎。作者感到高氏在法國未得到足夠的重視。

反理性讀書

Lire contre le raisonnable

在藝術裡，理性令在世者開心，瘋狂則令遺作作者開心。這就是為什麼阿納托爾・法朗士[1]辭世後，其作品如同變質肉凍裡的鱒魚一般被拋棄，而阿佛雷德・賈里[2]卻討人喜歡。他必須死去。是否合乎時宜，這是一面豎在活著的藝術家面前的屏障，假使藝術家們不夠尊重它，它必會阻礙他們成名。避免活著的藝術家成為不幸者的唯一方法，在於瞞哄它而不傷自身元氣。做為讀者，只有瘋狂令我開心。對理性則避之唯恐不及。

讀書無理性。有些東西更為重要，那些重要人物說。的確。我們欣然接受，一邊輕吹著口哨一邊繼續讀那些剝掉了我們的虛榮和微薄錢財的書。

1 阿納托爾·法朗士（Anatole France，一八四四～一九二四），法國作家。

2 阿佛雷德·賈里（Alfred Jarry，一八七三～一九〇七），法國詩人、小說家和劇作家。

麵包皮讀物

Lectures en croûte

閱讀一本被遺棄的書時，讀者不僅閱讀該書講述的內容，而且會邊讀邊思索上上代人（喜歡這本書的那一代人）對它的看法，力求猜出他們的下一代人（即我們的上一代人，他們的鑑賞力如此糟糕——我們需要繼我們之後的第二代人來挽救我們的文學鑑賞力）輕視它的原因。一本書只有在不為人所知時才是唯一的。這是它為了自己而得到他人評價的最佳時機。而為了讓它不為人所知，我們只需成為愚昧無知的人。

我從我的圖書館回來。多麼不受寵的孩子啊！它有兩隻異常肥胖的胳膊、一個針鼻兒大小的頭、一個如彌勒佛一般的大肚子，缺了一條腿，只有一隻眼睛。啊！它不缺少法國作家、英國作家、美國作家、義大利作家、拉丁作家、日本作家、希臘作家、奧地利作家，然而它在諸如印度作家等方面卻顯得蒼白無力。十億人、十七種語言、兩千三百年被剝奪了文明光輝的歷史。圖書館是我們人類惰性的延展。我們因為沒有地方擺放一切思想而對自己的懶惰心安理得，然而這並非事實。因為無知的我會閱讀一些如它們剛出版時一般新鮮的印度小說名著。這是無知給予我的啟迪，為了免於承認還有不曾認識的印度歷史、印度美食以及其他什麼印度的東西。

如聖阿芒（Saint-Amant）所言，很長時期以來，任何一位名作家都如同一隻沉睡於肉醬裡的無骨野兔。它被「欣賞作品」這層麵包皮包裹著，讀者必須敲碎這層麵包皮。幾年前，我突然之間十分厭惡巴斯卡。因為那一次重讀《熙德》令我惱火，於是把它和他一起扔到了一邊：我受夠了那些總是為這個或那個政權辯護的作家！再次重讀時，我察覺到自己的錯誤：事實上我的判斷失誤源於閱讀高乃依的這部戲劇與閱讀弗朗索瓦．莫里亞克撰寫的巴斯卡傳記這兩個閱讀興趣的結合，莫里亞克興味盎然地將巴斯卡與聖茹斯特相提並論，視巴斯卡為恐怖份子。這種說法看似極為真實，因此我信以為真了，忘記了說這話的人是誰。像莫里亞克這樣油滑婉轉的人當然受不了別人的直率而且會將它放大。向右邊抽一鞭子，布萊斯[1]，我朝中間射擊！巴斯卡是一位審慎的思想家，比我們疏遠他時他留給我們的印象更有分寸。我生出了擺脫錯誤和重新尋回一個天才的雙重喜悅。

一位作家，一旦他的書被闔上，他就縮小、簡化成為一個「物」，簡言之，一個幾乎已經死亡的東西。一個木偶。閱讀將他拉近讀者，重新賦予他生命。不讀書的人是目光短淺之徒，讀書的人是目光遠大的人。

1　布萊斯是巴斯卡的名字。

閱讀壞書（吸血鬼眾生相）

Lire de mauvais livres (portrait de tout le monde en vampire)

因為令人情緒頹廢的同樣原因，我很喜歡吸血鬼小說，例如安・萊斯的《肉體竊賊》（*The Tale of the Body Thief*）（《吸血鬼編年史》第四部，一九八五年）。故事發生在邁阿密，時間與作者成書的時間同步。我不怎麼喜歡這個系列的第一部，著名的《夜訪吸血鬼》，故事開端於十八世紀，發生在路易斯安那州和歐洲。我不喜歡那些穿著戲服的作品。我覺得它們在本質上是假的。

我閱讀琵碧・布萊特的《迷失的靈魂》（*Lost Souls*，一九九二），如同在用一小塊麥克雞塊蘸燒烤醬。她那令人作嘔的文風並不差，不是嗎，只是令人作嘔而已。然而人們有時候喜歡噁心的感覺。那是一種形式的陶醉。她在這個文類（在某個文類的各邊界寫作就是那些作者的極限，因為他們放棄了想要寫出一部傑作的既愚蠢又高尚的野心）上的才華橫溢。「他不再疼痛，他再也沒有寒冷的感覺。在暢飲過一個生命之後，他覺得自己不那麼孤獨了。如果那個男孩認為自己死後會再度復活，他對此無能為力。讓孩子們懷著自己完好無缺的信念而死是最好的。」

吸血鬼小說是對少數派的隱喻。吸血鬼並不存在，所以我們知道它具有象徵意義。吸血鬼，是少年（所有的人都是少年，不過少年們認為自己屬於少數派，況且他們的確是，處於人生的這段可怕的過渡期）、胖子（他提供養料助長了自己的不幸）、同性戀（不，不，不要愛滋病的血液，我認為愛滋病主要侵襲異性戀者，早在一九二二年版《吸血僵屍》（*Nosferatu*）裡就已經出現曖昧的同性戀場景了）。而這些人的極端唯美主義正在報復那些渴望性、美麗和年輕的人。

穆農－曾經是竊取作者版權的吸血鬼，因為他未經許可擅自把布蘭．史托克的《吸血鬼卓九拉》（*Dracula*）改編成電影。官司打輸之後，他的影片也毀了，如同暴露在陽光下的吸血鬼一般在火焰下萎縮乾癟了。但他得到了那些走私的複製品——吸血鬼的吸血鬼——的拯救。想想我們因為這世界上的不道德而得到的一切吧！

不過吸血鬼小說也是關於道德心的小說。因此此類小說常出自新教徒的筆下就不足為奇了，例如都柏林的新教徒布蘭．史托克，而且至今依然由新教徒們撰寫而成，通常是盎格魯－撒克遜人。不是因為新教徒比其他人更有道德心，而是他們自以為更有。自命清高有時候也足以創造美德。

我曾經試著讀《暮光之城》，太艱難了。少了我，史蒂芬妮・梅爾還剩下八千四百九十九萬九千九百九十九位讀者。這些小說不好也不壞，而是毫無價值。看看這些提問、回答式的對話，「貝拉，你去上學嗎？——是的，愛德華，我去學校。」諸如此類，太費力了，維根斯坦的書還更容易些，我向你們保證。《暮光之城》的手稿在出版之前先後被十四位出版經紀人拒絕。唉，總是有第十五位經紀人。通俗小說的成功史就是由第十五次嘗試締造的。那些出版商們竭盡所能地努力不去販賣而是保護文學，毫不見效。由此誕生了《暮光之城》這第一部並非由鮮血而是由劣質品造就的吸血鬼小說。

正如與純文學相對的各類通俗文學的成功，我們或許能夠解釋它成功的原因。

在這裡，有一種與二十一世紀初葉的風氣相一致的道德觀。它與吸血鬼類型作品蘊涵的輕微顛覆性截然相反。所有二十世紀七〇年代的成人所宣告並成功做到的——說服社會：愛情與性是兩件截然不同的事，而社會也並未因此分崩離析（人人都知道並且這樣做，這些伏爾泰式的懷疑論者只是嘲弄了一種虛偽罷了）——這部作品都全然不予理睬。愚昧卻不忘炫耀。

於是美國前總統小布希時代的文學有了自己的暢銷書。它是從一些我們在歐洲從未聽說過的書裡脫穎而出的，那是些銷量達百萬以上的基督教啟示錄小說。我們要瞧瞧歐巴馬是否能成功地讓大眾恢復理智，這似乎是他的目標。二〇一〇年，他敢於打破美國政府構築的迷信，取消了飛往月球的載人航行；這是由之前那美國有史以來最藐視人類的政府即小布希-錢尼政府重新制定的計畫。令人憎恨它的理由太多了。

吸血鬼小說，我裝出比自己事實上更加喜歡它的樣子。我利用它們以使自己顯得並非僅僅閱讀那些珍本或傑作——不過，你們瞧，我正好背道而行，用便宜書來裝裝樣子。當尼克和蕾娜在馬蘭鎮舉行結婚典禮時，有些英國人看到我躺在草地上讀我的普魯斯特，就以半揶揄半欽佩的口吻說：「這真是您的暑期讀物嗎？」很長時間以來，每年夏天，我都重讀普魯斯特《追憶似水年華》中的某一卷的全部或者部分內容，其實那些書沒有什麼非常複雜的地方，除非是由於讀者想在書中看到或矯揉造作或指責或仰慕的那種普遍情結，而我們甚至都不應當留意這些。這個關於閱讀姿態的問題真是異常古怪。有些讀者閱讀某些名著時不是對他人而是對自己故作姿態。嗯！如果這樣的姿態能使他們閱讀那些書也罷！

史蒂芬妮·梅爾，琵碧·Z·布萊特，安·萊斯。為什麼如此多的女性而且幾乎僅僅是女性在創作吸血鬼小說呢？而幾乎唯有男性才創作偵探小說和恐怖小說。

是因為牛排，由於這個很是深奧的現實以及男性在周末燒烤活動中所處的支配地位。而吸血鬼小說則來自那些花邊衣服、紫羅蘭絲絨等等屬於女孩子的東西。通俗小說永遠延續著那個佔主導地位的社會性別分配方式。然而它並不意味著男性擁有最富魅力的社會角色。男孩們掉進了金屬拼裝玩具的陷阱，女人們則落入優雅衣著的圈套。性別特徵是些幻象。這或許就是為什麼玩弄性別特徵的通俗文學並未真正被我們視為文學的原因所在，因為文學屬於並未走入牢籠的書面作品。

低劣的書籍對優秀的作者發生著巨大的影響。這些好作者對讀者的影響微乎其微，又或者其影響遠遠滯後。當大家都（相當迅速地）明白馬塞爾·普魯斯特是一位偉大作家的時候，他的同行們還在自言自語：他在這方面和那方面做得比我們好，這些東西讓他做吧。偉大的作家在生前只產生負面的影響。在其過世後，在相當長的一段時間以後，他們的作品才有可能在廣大讀者之間逐漸散播開來；

自那以後，他們的影響日益深遠。二十世紀許多知名度不高的作家都曾經打算研習普魯斯特的作品。普魯斯特又接受過什麼樣的影響呢？與其說聖西門和夏多布里昂對其產生了影響，倒不如說他們使普魯斯特確認了自己成為回憶錄作者和文論作者的身分。《追憶似水年華》裡提及聖西門和夏多布里昂的段落都完全是作者有意而為之，並且既非模仿，亦非抄襲，而是向他們致以略帶嘲諷的敬意；比如當老年的夏爾魯斯回想起自己的朋友，「漢尼拔．德布雷歐泰，已過世！安圖萬．德穆西，已過世！夏爾．斯萬，已過世！」這是對夏多布里昂的暗喻，因為後者在《墓畔回憶錄》裡不厭其煩地羅列了出席維羅納大會的一長串重量級人物的大名：「俄羅斯亞歷山大大帝？已逝。奧地利弗朗茨皇帝？已逝。法國國王路易十八？已逝。」渴望才華的普魯斯特避開了天才，而且有意無意地接受了一些非一流作家們的影響。天才是吸血鬼。他盜用了那些二流作家的種種優點並將其發揚光大到天才的高度。雖然極為罕見，但有時作家沒能取得成功，而我們恰恰由作家的失敗之處發現了他受過的影響。（否則，他的才華會屏蔽所受到的影響）當普魯斯特讓他的小說人物諾普瓦在「尼揚扎湖西岸」談論「一本論述無限意識的著作」（《在花季少女們身旁》）時，那是出自萊比什[2]的口吻，而且僅僅屬於萊比什的水準，屬於一個稍稍有點文化修養的外省工業家的噗嗤一笑。由此我們看到未經改變的影響，因為那樣的話語出自諾普瓦之口令人難以想像，因為他的話裡不含有諷刺意味，然而萊比什說那句話時卻帶有某種嘲諷的意思。正當作者在其人物背後不由自主地皺眉的那個時刻。不皺眉頭是最難以做到的事情之一。哈利路亞，普魯斯特犯了個錯誤！他是人而不是神！地球上沒有神！假使他的臉上有道皺紋，那麼我們就可能會原諒自己那滑稽可笑的臉！

拙劣作家對巴爾扎克的影響：便宜的歷史小說；對福樓拜的影響，愛德加・基奈[3]的《阿哈斯維魯斯》（*Ahasvérus*）；對喬伊斯而言，他受到愛德華・杜嘉丹[4]

的《月桂樹被砍掉了》（*Les lauriers sont coupés*）的影響……有著騎士風度的喬伊斯承認自己在閱讀杜嘉丹的作品時產生了關於內心獨白的想法。我們一邊讀著某本糟糕的書一邊自言自語道：多麼遺憾啊！一個那麼好的想法竟然沒有被好好的運用！於是，有人把它從那部有可能被人遺忘的作品裡抽離出來，完善使用，甚至因而挽救了原作。

我沒見過比宣稱自己「嗜好」讀劣書更天生自命不凡的人了，而奧登[5]在《寫作》（*Writing*）（《散文》，一九二六～一九三八）中就這麼做過。好書，不那麼糟糕。我如同看其他書一樣讀那些拙劣的作品，歸根究底，為了發掘意外的幸運。吸血鬼，其實是讀者。

1 穆農（Friedrich Wilhelm Murnau，一八八八～一九三一），德國電影導演。

2 萊比什（Eugène Labiche，一八一五～一八八八），法國劇作家。

3 愛德加・基奈（Edgar Quinet，一八〇三～一八七五），法國作家和史學家。

4 愛德華・杜嘉丹（Edouard Dujardin，一八六一～一九四九），法國小說家、詩人和劇作家。

5 奧登（Wystan Hugh Auden，一九〇七～一九七三），英國詩人和批評家。

秘密與奧秘

Secrets et mystères

有些讀者讀書是為了發現秘密。唉，他們發現了。秘密，秘密往往是什麼呢？隱藏在門後的一團灰塵。有一點令人好奇：人們從來不向我們揭示陽光下的秘密，就好像人們不願意這樣做一樣。熱中於發掘低俗的秘密是某些人的癖好，例如好記恨的人，或者至少也是些嫉妒他人的人。這種低品味除了有可能引發集體屠殺外幾乎沒有什麼好結果。這是人類時常感受到的苦澀之愛，不自愛的苦澀之愛。

秘密，儘管人們賦予該詞魔力，它還是相當簡單：或是一個被隱瞞起來的錯誤，或是一個悄悄進行的崇高舉動。無論前者還是後者，認為人僅僅存在於其秘密之中都有可能顯得天真幼稚。

「詩人」是巴爾扎克津津樂道的詞，他作品中的貶義詞則是「秘密」。基本上為貶義。他不斷地宣稱揭示秘密，彷彿一切都是以秘密告終。在那時還未被稱為文壇的文學圈子裡，巴爾扎克因其商業熱情而得的名聲並不好，「秘密」一詞就是其經商熱情的表現之一。讀者們很少注意到這一點，然而出現於書名的「秘密」就像拙劣電影裡的妓女在拋媚眼。「過來，我的寶貝兒，你會看到幸福的。」在巴爾扎克同時代的人看來，那是一個會使巴爾扎克許多作品預先破梗的詞語。對於我們這些反覆讀過並且感受到他才華的讀者來說，內容已滲透進了容器裡，因而「秘密」一詞，如同在《卡迪央王妃的秘密》裡一樣，已經丟掉了它的庸俗性。

啊，它正朝那兒走去，去招攬路人！「交際花」（《交際花盛衰記》）這個詞也是如此。書名中喚起言下之意的一切，無論隱喻或真實，都染上了蠱惑的色彩。

甚至無需深入到那部《我的美麗秘密》（*Mes secrets de beauté*）以及其他一些作品如《基因組的秘密》（*Les Secrets du génome*），帶有「秘密」一詞的書名通常都是那些毫無價值的作品的亮點：

《最後的機密》（*L'Ultime Secret*），柏納·韋伯[2]著
《重大秘密》（*Le Grand Secret*），荷內·巴札維[3]著
《密談》（*Propos secrets*），羅傑·佩赫菲特[4]著
《棘手的秘密》（*Brûlant secret*），史蒂芬·褚威格著

這個詞也有可能是個純粹欺騙性的字眼，例證如下：

《秘密日記》（*Journal secret*）

是普希金的作品。這是一本偽秘密日記。

我贊成揭開秘密。倒不是因為秘密有可能是一切關鍵所在，原因恰恰相反。秘密敞開了某些被遮擋起來那通往隱秘之處的粗陋門扉。展示這些秘密是為了甩開它們而直達問題的關鍵。這是美國電視影集《家族風雲》（*Brothers & Sisters*）的趣味手法。劇中人物相互之間不存在任何秘密。一旦有人瞭解到某件被隱藏起來的事情或剛剛發生的一件事，他就會告訴別人。「爸爸曾經有個情婦。」「你應該告訴喬納森你和華倫上床了。」這無疑極具美國人的民族特性，那種奉行直來直往的觀念。總之，它粉碎了秘密可憐的戲劇構造。秘密是懶惰藝術家的訣竅。阿爾弗雷德・希區考克的作品完全建築在秘密之上。這令人深感遺憾，因為他頗具才華。他導演的許多電影鏡頭都體現出他的才華；然而他希望娛樂大眾；他過於輕視自己的才華，由此產生了那種自命不凡的嘲弄口吻，這對他的電影作品而言可能是種束縛。愛倫坡是文學界的希區考克。他把那麼多的才華花費在創造謎題上！一旦這些魔術師的秘密被人得知，還會剩下什麼呢？一個可憐的小線團而已。

小說是對奧秘的澄清。人物的奧秘。我們在他人的眼裡似乎始終簡單如一，因為我們通常只讓別人看到自己的一面，一種經過簡化的既適合自己也適宜於他人的性格。一旦我們過世，這種禮節消失之後，我們才變得複雜難測。一個人物，就如同一位死者。某個被人們在各個方向翻過來轉過去以便弄明白其構成的人。不過，對許多小說家而言，人物還是如同一個人，一個在重要關係上被縮減為（他們認為，這是為了他們的方便著想）陽光面和陰暗面的人。這是一種機制，它的關鍵部分是個秘密。當然是小說家們所瞭解的機制。我寧願小說人物身上有著些許模糊不清之處。寧願讀者無法猜透他們的全部，就像我們在實際生活中無法全部猜中他人的心理那樣。我們永遠不會知道一個人的全部。而且這種全部是一種不確定的存在，具有相對性。我們的個性不會化為一個東西。在某部小說裡，作者自一開始就揭示了人物的秘密。秘密存在著，大家都有；常常是同樣的秘密。那個人物與其他許多人一樣有著相同的家庭背景，那麼他為什麼會變成小說中的那樣呢？這就是奧秘，也是小說的主題。啊，正是如此。奧秘在我看來比秘密更有意義。我們可以揭開秘密，但是我們永遠解釋不了奧秘。我們最多只能嘗試著闡明它是如何發生的，試著闡明究竟透過怎樣怪異的組合，一個人那無法解釋的部分，那個精神部分，那個瘋狂的精神部分，造就出這個人的命運。

即使在最無懈可擊的推理中也始終存在著漏洞。正是在那一刻，當我們接近那個根本原因的時候，它像太空裡的一個小球一樣溜走了。而正是這種始終令人難以捉摸的知識可以被人們稱為奧秘。它或許有必要溜走：因為在溜走之後，它吸引了我們的注意力。而人類則繼續在認知的荒漠上前行，艱辛地朝著這個誘惑者走去。

秘密的天性是希望保持秘密。小說的尷尬之處在於去尋找它。或者更確切地說，這是它的靈活技巧，它的藝術，然而也是它顯而易見的技窮之處。我從孩童時代所讀的簡易版《伊利亞德》、《奧德賽》和《古希臘神話故事傳奇》中獲得了某種神秘主義信念，即精神在逃避我們並且將奧秘強加給我們，這種我們不應該力求去澄清的奧秘。奧秘生來就應該是深奧的。

1 《卡迪央王妃的秘密》（*Les Secrets de la princesse de Cadignan*）是巴爾扎克的一部短篇小說，下文的《交際花盛衰記》（*Splendeurs et misères des courtisanes*）則是他的一部長篇小說。

2 柏納．韋伯（Bernard Weber，一九六一～），法國科幻作家。

3 荷內．巴札維（René Barjavel，一九一一～一九八五），法國作家、記者。

4 羅傑．佩赫菲特（Roger Peyrefitte，一九〇七～二〇〇〇），法國歷史小說家和傳記作家。

賭博式讀書

Lire par pari

我花六點九九歐元買了傑拉德．德維里耶-系列偵探小說《尊貴的親王殿下》最新的一集：《紅色黎巴嫩》（*Rouge Liban*），這價格實在貴了點，我對報刊亭老闆說，可他滿不在乎。賭一把，看看解悶吧。開頭不壞；一種快節奏，一種庸俗的活力（庸俗，但是有活力）；這個快節奏僅僅持續了十四頁的長度，即整個第一章，作品隨後陷入了最最無聊的由對話淤積而成的爛泥潭。任何人都不曾對這個懶漢說過：假使他多少還有點兒才華，那體現在他的描寫中。而他的描寫輕慢且並無讚賞之情，不過已然如此了。在我讀過的那五十頁裡就出現了兩個這樣的例子：「（沙特）王子看了看他的手錶，那個由黃金和鑽石堆砌而成的小東西。」以及，在兩段對話之間：「一個天使經過[2]又逃走了，毛骨悚然地逃走了。」作者很是一絲不苟，以至於他在第四十二頁寫下的句子，讀者在第四十七頁又原封不動地再次見到了它。除此之外便是那種徹頭徹尾的嚴肅精神，它是糟蹋了那些書的罪魁禍首。我拿起一本巴爾扎克的小說，那是一、兩年前為了消磨旅行時間而買的，而我旅行時卻從沒帶過它。我很快發現書頁的邊緣空白和襯頁上有不少自己亂寫亂塗的文字。顯然只有偉大的著作才是有趣。

1 傑拉德·德維里耶（Gérard de Villiers，一九二九～），法國作家、記者、出版商，此系列又稱為「車站小說」，文筆輕快故事情節簡單，常是旅行中消磨時間的讀物。故事主角是位在美國中央情報局任職的奧地利親王。在法國十分暢銷，截至二〇一一年初已出版一八六部。《紅色黎巴嫩》出版於二〇〇七年。

2 意即談話時出現令人尷尬的沉默。

閱讀古典作品

Lire les classiques

我們十分樂意把「古典主義」與「笨蛋」等同看待。古典主義作家遠非懶懶散散的閒人，他們是革命者。看看馬列赫伯[1]和布瓦洛[2]這兩位十六、十七世紀偉大的古典主義理論家兼實幹家：他們把時間用於摧毀那些先於他們出現的東西。前人有什麼罪行？無秩序感。古典主義者是些對規則的缺乏感到惱火的瘋子。這就是他們成為反動派的原因：人生沒有規律。他們希望一切都像里沃利街那樣，有連續而規則的拱門，或者像雅典衛城。然而，沒有什麼東西像雅典衛城，除非它就是雅典衛城。人生從本質上看具有巴洛克風格。偉大的古典主義者，路易十四，下令拆毀了旺多姆廣場以便建造另一個廣場。更加美觀的廣場。那是反對保守主義的一個理由。但人們依然驚訝於他並未命人拆毀他父親在位時建造的凡爾賽宮那一部分。那畢竟是他的父親。這是一個合乎規律的繼承。經典的繼承。長嗣身分，這條象徵了皇族血統的里沃利街。英國詩人休姆（T. E. Hulme，一八八三〜一九一七，他喪生於佛蘭德斯前線一次炸彈爆炸）曾經說過：應當每十年拆毀一個博物館。休姆是個新古典主義右派，數年後艾略特也將成為他那樣的新古典主義右派。出版過休姆作品的派屈克．麥金尼斯（Patrick McGuinness）曾向我談起，有一次因為對著牆撒尿而受到一位員警的告誡後，休姆回答：「您意識到您是在對一位中產階級人士說話嗎？」這當然是句玩笑話，這個階層在英國備受屈辱，已是社會的巨大問題，但休姆卻因歸屬這一階層感到一種真實的自豪。派屈克接著說道：「身為一名合格的英國員警，那位員警不得不回答：『對不起，先生。』」雜亂無章、維護無序的巴洛克藝術家比古典主義者更為保守。我們也可以說他們更溫和，因為他們不可能是保守主義者，他們的人數對於運動而言太多了，他們就是運動本身。巴洛克屬於風。「風」這個詞用在這裡是褒不是貶。它是凝固於大理石上的風。巴洛克藝術家們成功地將這風留了下來。

1 馬列赫伯（François de Malherbe，一五五五～一六二八），法國詩人。

2 布瓦洛（Nicolas Boileau-Despréaux，一六三六～一七一一），法國詩人、作家和評論家。

閱讀作者沒寫的東西

Lire autre chose que ce qui est écrit

某些讀者讀書是為了給自己的偏見找到一個理由。如果他們沒有找到令自己滿意的解釋，就會編造一個理由。我遇過許多發出如下慨歎的人：「看，我又碰到一個毫不猶豫地承認自己討厭斯湯達爾的人，萬歲！」或者：「您對普魯斯特的評價，真令人高興！」我對前者的回答是：「我只是批評他在某些作品開頭喜歡談論政治的怪癖，至於其他，我寫過我很喜歡他的作品，桑絲維利納公爵夫人¹是我最喜歡的小說人物之一，……」，但他們卻皺起了眉頭，因為我封上了隱藏著他們種種厭恨的小寶庫的厚牆。對於後者，正如我昨天在史特拉斯堡的一條街道上說過的：「總之，我在自己的所有作品裡對他的讚揚都是荒誕無稽的，而如果我是您的話，那麼我寧可懷疑自己是否變糊塗了。」「啊，是嗎？」那位胖嘟嘟的先生回答，他失望卻又未被說服。「我始終都沒能讀讀他的作品。」這些讀者將他們的讀物與自己的慾望混為一談。您徒勞無益地對他們說，不，您的原意並非如此，甚至，您沒有這麼說過，他們仍然不相信您的話。他們讀出了其他的涵義。

還有一些人，其自戀達到了認為別人是在談論他們的程度，儘管事實並非如此。一位女性小說家對我講起她的一位同行剛剛給她打過電話：「你其實可以告訴我，你在自己的書裡談到了我！」她：「你？在我的書裡？」他：「你認為我認不出自己來嗎！那個某某人物……！」那個人物和他沒有任何關係。那一位胖，而我們這位同行瘦。那是同性戀，而我們的同行則是異性戀。他……正是如此，這位自戀狂回答，他不是我，因此他就是我。你希望把我化妝成那個人物。當那些讀者相信有人在談論他們而事實上別人並不知道他們時，這種自戀就更加令人感到驚異。假設有作者談起一個職業為精細木工人物的優點，某位自戀的精細木工就會感到作者所誇獎的人就是自己；如果我們描寫了一位肥胖的婦女，而某位自戀的女性讀者認為提及的是她，那麼她會終生怨恨我們。我的一位女性朋友是博物館館長，她曾與人合作策畫奧賽博物館二〇〇七年的庫爾貝[2]畫展，然後接到一通電話：「女士，謝謝您提起了庫爾貝那個隱姓埋名的孩子。我是他的後人。」她不安地核實這個消息。沒有任何資料顯示畫家有這樣一位被藏起來的、不為人所知的孩子。這位男性的家庭沒沒無聞並且勉強維持生計，這種沒沒無聞令他們惱火，因此他們就杜撰了一個故事，認為自己是畫家的後代，並且無時無刻深深確信他們自己看到了那方面的種種證據。這些人只讀他們想讀到的東西。

這可能源於某種事件動向，這動向令他們產生自己樂於相信的幻想。一次我在梅斯接受採訪。我謝絕了某某電視節目的邀請。之後我接到了一個電話：「夏爾，你在哪兒？你沒有參加某某電視節目……剛才有人告訴我你已經離開梅斯出發到紐約去了！」這個臆造與此人關於我的某個想法相吻合。我當時正站在旅館房間內兩扇掛著印花窗簾的窗戶之間，我注視著大教堂。這個大教堂的底層也是一件虛構作品。原先那個美觀大方的新古典主義風格的建築底座（現在還餘留下一部分）看起來可能像戒指的底盤，尖頂衝出底部。這個底座被普魯士人推倒並代之以一個新哥德風格的底層，甚至增加了一個頭像為威廉二世[3]的先知雕像。這是一個只為自身讀書的讀者們的保護神。

作者的所有「自我」都深深吸引著他的讀者們。自我，便是屬於我的。第一個產生如此幻覺的就是作家。沒有什麼比另一個自我更像自己的了。是才華而非自我造就出文學個性。這種才華並非屬於「藝術」範疇，而是許多東西的混合體。「藝術」，自我，激情，狡黠，躲閃，還有與自負、大男人主義和愛發牢騷的，或者快樂、咄咄逼人和詭計多端的第一自我展開競爭的其他自我，總之，它是一份沒有食譜的義式蔬菜湯，甚至米其林美食指南的修辭、分析、數據以及其他我不知道的東西都無法還原出其中的原料，因為有時，瞬間閃現的靈感也會蜻蜓點水般地掠過我們繁重的勞動，那是上天的恩賜。

1 斯湯達爾的小說《巴馬修道院》裡的人物。
2 庫爾貝（Gustave Courbet，一八一九～一八七七），法國畫家。
3 威廉二世（Wilhelm II von Deutschland，一八五九～一九四一），最後一位德意志皇帝和普魯士國王，一八八八年到一九一八年間在位。

為了再現青春而讀書

Lire pour rajeunir

閱讀回憶錄，尤其是政治回憶錄，可以令青春再現。我們曾經經歷那個時代。我們欣悅而驚訝地重新發現了那個時代。當時的政權曾經掩蓋的事實真相被揭露出來。當時那件事！這比我當時不願意相信的那個說法更糟糕！相反的，對於我們的後代來說，那個時代已經一去不復返。他們喜歡重複我們的愚蠢言行。讀者們不可能閱讀那類再現自己如此蠢行的作品。而且讀者對此類書籍的熱情已經減退。它們並無才華可言，只是因為我們的好奇心、我們的懷舊之情、我們殘留的政治熱情而存在著。對於非專業人士而言，唯有文學才華能夠永遠維持讀者對書本的興趣。

為了改變時間而讀書

Lire pour changer le temps

小說中有關時間的表達給讀者製造了煩惱。「他在數小時的時間裡尋找……」讀者一掠而過。往往「他尋找」便足矣。當作者想給讀者留下一個近乎永恆的印象，「在數小時的時間裡」才較為合適。書面時間似乎比生活中的時間更漫長。

一個不恰當的標點符號，一次無用的重複，讀者的心思便跑到九霄雲外了。維持讀者注意力所需的技巧實在難以捉摸。有了它便會引人入勝得多，如同一隻翩翩飛過的蝴蝶。要做的只是成為這隻蝴蝶，或者一頭大象，總之，只要別像個只會擺姿勢的所謂「舞者」累得癱倒在地像蟲子一樣四肢亂晃就行。這才是風格出眾的作家。而且，這也很美啊。

小小的標點符號的優勢。標點是一種解釋。不僅有冒號，還有逗號，而那些解釋在我看來既無用又令人惱火；或者讀者自己領會了其中用意，因而產生更大的喜悅，或者他不明白，那麼這是因為作者和讀者彼此並不合拍。

當我們讀書時，我們是在抹除時間。並非是「度過時間」的意思，度過時間是指我們打著哈欠讀著書，在鄉下悠悠閒閒地度過一個下午，「抹除時間」則是指認真讀書，全神貫注地沉浸在書中。這種閱讀給人時間不復存在的感覺。我們甚至模模糊糊地生出某種永恆感。這就是為什麼從書中世界走出來的讀者們有著潛水夫的神情，目光朦朧，呼吸徐緩。他們需要少許時間以便重新回到現實世界。這就是為什麼那些偉大的讀者始終感覺自己青春年少的原因。他們的生命沒有被某種使用時間的方式所消耗，他們將時間用在了聽命於尋常時間以外的事情上。即便他們活到百年，仍然會青春永駐地辭別人世。每一次新的閱讀都是一次在清涼海水裡的潛泳，都是一個我們並非全然虛幻地征服了時間的時刻。

為了不讀（傳記）而讀書

Lire pour ne pas lire (les biographies)

一位批評家對我談起雷米．德古爾蒙[1]（一八五八～一九一五）：「他是一位語言晦澀難懂的作家。」[2]晦澀難懂是相對而言的。起碼他比這位批評家更出名。假使以大眾的觀點來評判，這位評論家的無知可能會達到一種迷人的程度。大眾中的一員（一位重要人士，這裡所指的大眾與他們的社會地位沒有任何關係，大眾是指那些一年所讀書目不足五本的人）曾以世界上最天真的口吻對我說：「啊？普魯斯特是同性戀？」可能正是由於這個原因人們才讀傳記：為了不讀書。

我目前正在讀一位非常優秀的英國作家的傳記。這部作品的遣詞造句拙笨不堪。這是文筆出色的作家的命運，其生平由文筆拙劣的人撰寫。這使他們回歸常人狀態。

而這也正是對藝術和文學焦灼不安的英國人酷愛傳記的原因。傳記似乎是在做出解釋。

或者為了告訴讀者本人：作家與平常人一樣。或者為了試圖發現創作的奧秘，從這一點來看，這些傳記作品永遠不夠。就像我們的思想不會出現在X光片上一樣，藝術家順利完成作品時所出現的那個天賜的時刻也不可能被一部傳記作品捕捉到。從某種程度上說，傳記遮掩了奧秘。

1 雷米・德古爾蒙（Remy de Gourmont，一八五八～一九一五），法國象徵主義詩人、小說家、記者、藝術批評家。

2 作者在此使用了雙關語，法語 obscure 有晦澀難懂的意思，同時也有沒沒無聞的意思。

讀書而無視作家

Lire en dépit de l'écrivain

很長時間以來我對雅克・拉康都一直不存在任何的看法。如果把那些仰慕他且最終形成一個宗派的人們排除在外（何況除了天真幼稚，從他們那些人那兒得不到任何有建樹的看法），一些人將拉康視為江湖騙子，另一些人在暗示詩歌是廢物的同時，認為他是可貴的詩人——這是他們為拉康所做的最聰明的辯護。我可能會清楚瞭然地發現拉康是位可貴的詩人，世上的確有一些很偉大的詩人，而我讀拉康的作品僅僅是為了文學，為了我可能在其中找到的文學，因為我對精神分析學派一無所知。在我們認為可能找不到文學性的作品裡找尋文學性是一個正確的閱讀動機。如果不是這樣，那閱讀將只會是一次帶著美食旅遊指南展開的旅行。「谷崎潤一郎，值得一看。但丁，有品質保證的傑作。」這指南的名字就是：拉加爾德和米夏爾[1]。我猜想任何國家都有一本差強人意卻枯燥乏味的文學教材，這些教材所仗恃的才華必須合乎道德的觀點令年輕人們灰心喪氣。一部傑作？真討厭！

我買的第一本拉康的作品讓我失望，那是一本易讀的書。《論偏執性精神病與人格的關係》是他的精神病學博士論文。從來沒有人像他那樣寫論文（——像。——呃？——相像。——像？哦！）這篇論文故意模仿了索邦大學所要求的定見。我們自詡已經趕走了那個愚蠢的時代，那個索邦大學排除異己——即所有不認可大學對亞里斯多德作品的闡釋的思想家們——的愚蠢時代，然而我們現在依然如此，只不過換了一種方式。這所從一個教條走向另一個教條的法國大學始終不變地仇恨作家，把他們驅逐出自己的著作，只談論自己人而且只對自己人談論，狡猾並且享受著自己的狡猾。嫉妒為它的這種行為作出了解釋。有些教授不會做研究工作，從未及時並且按照當初允諾的字數交稿（不過，他們知道讓自己的學生做研究，然後再剽竊這些學生的成果），他們嫉妒那些因工作累垮身體、表面看來似乎什麼都沒做卻被媒體廣為稱頌的作家。燕雀奢求鴻鵠的命運。不過我最終並沒有失望，那曾經是我的偏見；至於我呢，我很高興。我津津有味地讀了拉康這本書，並且感覺對自己的學識做了些許補充。

而我不顧拉康的反對，還是看了他的其他作品，雖然我難以忍受他那自吹自擂的大缺點，例如《我的教學》一書。「在我之前從沒有人注意到（……）」吹牛不妨礙作者講些令人興奮的事情，即使它有時妨礙別人傾聽這些事。我在談論拉康時沒有脫離文學，拉康曾夢想著文學創作，他認為精神分析學家是些詩人——亦即文學對他而言是一個理想。學者們對於文學的這種理想化具有相當的法國特色。由此出現了致力於寫作的哲學家，雖然國外常常有人因此指責我們。全球化帶來了世界各國的國家專業化，我們有權享受做工考究的服裝，卻沒有享用書籍的權利。有些電影鏡頭展示了一些正在讀書的人以及被視為費腦子的小說（彷彿「費腦子」是種侮辱，彷彿我們沒有大腦），這樣的電影也同樣受到了被觀眾喝倒彩的冷淡待遇。我的國家有許多缺點，這些缺點令我喜出望外。因為它們阻斷了文學被視為一門專業的命運，以及避免了學習文學甚至更糟糕的是閱讀文學也需要文憑的情形。法國是世界上最民主的國家，每個法國人，包括一些老教授，都理解香奈兒的那句名言。

拉康幽默，他很有幽默感，而這可能正是他激怒敵人的地方，因為他笑著就「成功」了，拉康說自己是「一個與彼拉多[2]同類的人」。而我恐怕和拉封丹會是同一類人。拉封丹曾在凡爾賽宮的走廊上向他碰到的每個人提問，甚至沒想到先和他們打招呼：「您讀過巴錄[3]的書嗎？您讀過巴錄的書嗎？我正在閱讀預言家們的作品，您知道這很不尋常嗎？啊，巴錄！您好，親愛的朋友，您讀過巴錄的書嗎？」這成了那段時間的宮廷趣聞，而宮廷，它在法國曾經那麼了不起，因此三個世紀之後，我想起了這一幕。好吧，那是拉封丹，那同樣也是他。優秀的作家是回憶的掛鈎。因為他們的才華。有關這些名作家，人們常常什麼都說，可是並非無論什麼樣的「什麼都說」；而是符合了人們對其期望的「什麼都說」。那些寫作的人，那些作品被閱讀的作者，當他們讀書時，他們會分外不同嗎？作家首先是讀者，而且我會因為首次讀到某位有才華的作家的作品而熱情洋溢，類似於拉封丹那樣，我一邊經過巴黎的廊道一邊詢問「您讀過拉康的書嗎？」多麼愚蠢的問題啊！在巴黎，人們當然什麼書都讀過。

如果說我對拉康瞭解不多，恰恰是因為我對他瞭解不少。他的名望向我隱藏了他的作品。有那麼多的東西要讀，以至於我們最終相信名望所表現出來的簡化；其實並非是一種簡化，而是一種縮減，減少到最鮮明的要素，因此也是最不具特色的要素。隱藏自我的作家更將其作品藏了起來。他以謊言替換了鮮明。我們於是落入不讀書的讀者們的陷阱。

拉康就是如此這般的一個人，一個專制或者說我不知道該怎麼形容的人，拉封丹是一個隱身於消遣背後的享樂主義怪獸。可能吧。一位優秀作家的作品比他／她自己更好。甚至正是基於此讀者才能認出他來。在所有那些相互推搡著急於寫出一本書的各個自我裡，有個自我十分神秘、十分隱秘、十分嚴厲，它阻止其他自我屈從於膚淺的習性。最差的作家呢，他嘛，他在生活中始終比他的作品更好，更有吸引力，更聰明睿智，更才華橫溢。當然了，生活並非如此正負相抵，有些好作家也是令人快樂的人。正是由於缺乏邏輯，生活才是美好的。因此，生活比小說更好，小說是一種合理化的嘗試，它呈現的是生活的一面「鏡子」。其實是一面上過油漆的鏡子。一想到現實主義我就想笑。而且還有那麼多讀者相信它。有一類我喜愛的作家，浪漫的伏爾泰派作家，他們是唯一敢對讀者們這樣說的人：不要相信我們。文學比信仰更有價值。

D．H．勞倫斯說：「每個人都有一個群氓自我和一個個體自我，對於不同的人，兩者各自的比例有所不同。」（《色情文學與淫穢行為》）啊，多麼優美的表達。「一個群氓自我」（"a mob self"）。好的讀者，如同好的作家，他們驅趕群氓自我，想像自己置身於別處，他們不知道是什麼地方的別處。蠱惑人心的作者和狡猾的讀者則聽任他們的群氓自我排在首位。

做為讀者，閱讀時的我們更美好。更高尚。

1 拉加爾德和米夏爾（Lagarde et Michard）是一套法國文學教材的名字。

2 彼拉多（Ponce Pilate，約西元前十年——約西元三十九年），是他下令將耶穌釘死在十字架上。

3 巴錄（Baruch Ben Neriah，生卒年月不詳），先知耶利米的書記員。

閱讀皺紋

Lire les rides

我們不可能從

到

而毫無羞慚、苦惱、痛苦。

我們不可能從

到

而僅僅是因為衰老的作用。

還因為牢騷和怨恨。面孔是寫實主義唯一的書本。

在書本以外閱讀

Lire ailleurs que dans les livres

雖然可以說閱讀身體，然而對於景致，卻十分難以這麼表達。人體是一種藝術品。我們給它化妝，打扮它，而且不管怎樣，過了一定的年紀以後，屬於我們自己的個性又會重塑我們的身體。儘管幾乎已經不再純「天然」——因為人類在數百萬年的時間裡已經做了很多開發——景致卻仍然不是人類的創造物；我認為它們至多達到符號等級。在一片雪地裡的一棵沒有葉子的樹是一個表意符號。我喜歡那些接近這種狀態的風景，而這是我痛恨鄉下喜歡海灘的原因之一。海灘上沒有樹、沒有泥土，不會有柔化的景致。海灘的線條筆直，物質乾硬，光線純淨。沙灘、大海、天空。三層色彩。這是一幅羅斯科[1]的畫作。別讓我談游泳池，我已經說過太多這方面的事了，也別讓我談那位不為人知的天才，他想創作伊夫·克蘭[2]式的作品，即把土地分成矩形，在其中填充一種自然界不存在的藍色。我們不閱讀景致，而是從景致中做出推斷。

二〇一〇年的塞巴斯蒂亞諾·李奇[3]畫展在威尼斯的契尼（Cini）基金會舉辦。畫展旨在表明繪畫草圖階段的素描可能會比既成畫作更好。「素描」在義大利語中是 bozzetto，無論怎樣，這個國家在藝術領域十分發達，甚至還有其他十三個也同樣表達「素描」涵義的詞語：

abbozzamento／abbozzatto／abbozzo／abbozzo grande／buzza／macchia／modellatto／

modello／pensiero／piccolo modello／sbozzetto／sbozzo／schizzo

粗人，粗人，我們都是些粗人。而義大利讀者在這方面比其他各國的讀者都更為先進……一位寫作部部長——如同在海勒·塞拉西一世[4]當權時的衣索比亞帝國曾經存在過的那樣的部長——可能得用多架貨櫃滿滿的貨機整機整機地進口我們所缺少的詞語。雖然如同拿起又放下撥浪鼓的嬰兒一般笨拙，我們會設法應付自如，也會越來越深思熟慮。素描比畫作好，我們可以說這是藝術史學家的異想天開，他們厭倦了博物館，於是決定耳目一新，與那些戲劇評論家們在拉辛劇作的第一百場演出時心癢於一場赤裸的《安德洛瑪克》的戲劇演出一樣異想天開，不過這個想法卻透過此次畫展的實例獲得證實。關於李奇，是藝術評論家羅多佛·帕魯契尼（Rodolfo Pallucchini，一九〇八～一九八九）最先發現了他；羅貝托·隆奇（Roberto Longhi，一八九〇～一九七〇）曾經就蒂耶波羅[5]做過這樣的評論。

「顯而易見，即使蒂耶波羅僅僅為我們留下了其畫作的習作，那些美妙的素描，我們也會毫不猶豫地將他列為十七世紀的重要畫家之一。」李奇的這些素描——如今素描已自成一門藝術——簡直可以說是出自福拉哥納爾[6]之手。這也說明了福拉哥納爾的才華，他敢於創作素描類的畫作，並且尤為重要的是他取得了成功。好了，人們就是這樣作畫，不做任何計算（只不過我們要的就是這種未經計算的效果），哪怕不夠完美，也比走入僵化更好。李奇向一位貝加摩伯爵寄去了他「煉獄的靈魂」（*Ames du purgatoire*）的一幅小尺寸素描，後者向畫家訂購了這幅用於教堂的「煉獄的靈魂」，李奇寫道：「您要知道這葉柄是原創，而祭壇是複製。」（一七三一年八月一日的信）我們可以從一次畫展中學著讀出多少東西啊，同時又聯想到文學領域也是如此，我們可以在創作的同時多加一點底色。

1　羅斯科（Mark Rothko，一九〇三～一九七〇），美國畫家，抽象表現主義代表人物之一。

2 伊夫・克蘭（Yves Klein，一九二八～一九六二），法國畫家，尤以喜好藍色聞名。

3 塞巴斯蒂亞諾・李奇（Sebastiano Ricci，一六五九～一七三四），義大利畫家。

4 海勒・塞拉西一世（Haïlé Sélassié，一八九二～一九七五），衣索比亞的最後一位皇帝（一九三〇～一九三六，一九四一～一九七四在位）。

5 蒂耶波羅（Tiepolo，一六九六～一七七〇），義大利畫家和雕塑家。

6 福拉哥納爾（Jean Honoré Fragonard，一七三二～一八〇六），法國畫家。

在飛機上讀書

Lire en avion

我和這些機器有著一種古怪的關係。我不喜歡乘坐這些交通工具，不過我很喜歡已經乘坐過它們的經歷。飛機的發展變化很大。很久以來，它已經不再令人充滿幻想了。當我還是小孩子時，飛機被認為美麗、稀有、令人興奮。我曾經尋找過一些談論飛機的書。我正是這樣找到了自己最喜歡的《丁丁歷險記》裡的《飛往雪梨的七一四航班》，其中講到壞蛋拉斯佐羅．卡雷達斯的私人飛機降落在一條偶然發現的跑道上。我也喜歡費茲傑羅的小說《最後的大亨》（*The Last Tycoon*）

的故事開頭，一次飛往加州飽受折磨的空中旅行。我們甚至不需要提到那些書。航空公司的名稱本身就具有詩意。法國航空公司（Air France）、法國聯合航空運輸公司（UTA）、不列顛海外航空公司（BOAC）、環球航空公司（TWA）、泛美航空公司（Pan Am）。泛美航空公司！在紐約，泛美航空公司摩天大樓曾經矗立於中央火車站之後，其聞名於世的標誌出現在大樓的最上方，那象徵著商業航空的快樂時代。但自從它成為保險公司這種令人「心曠神怡」東西的產業之後，再也沒有人抬起頭來愉悅地注視過它——美國大都會人壽保險公司大樓，人們甚至覺得看到那些詞都有種羞愧感，正如，我想像著，二戰期間法國人看到被佔領的巴黎市區內告示牌上的德文時一樣的羞愧感——於是人們不去看它們。

飛機有什麼用？嗯，用於運送我們／使我們浮想聯翩，具有 transporter 一詞的雙重涵義。首先是它的實際意義：飛機把我們從某地帶到另一地；其次是它的喻義，如同在「愛的激情」（"les transports amoureux"）這一表達中的涵義。飛機用於使人夢想。它們把我們帶出我們的國家，我們的習俗慣例，因而，如果可能的話，把我們帶離我們自身的肉體。

我所說的是一個樂觀主義時代。它已經一去不復返了。那些心焦氣躁的人贏得了勝利，於是飛機成為大眾的交通工具。它們像蒼蠅。體型巨大，為數眾多，擠滿了天空。飛機如同公共汽車一樣常見，正如那個令人沮喪的名稱「空中巴士」給予的證明。更糟糕的是，飛機還變成了武器。自從二〇〇一年九月十一日有兩架飛機撞向兩座世貿大樓之後，我們都知道了這一點。而正是由於那次謀殺事件，乘坐飛機這件從前非常簡單的事現在變得如服苦役。您記得嗎，就在昨天，我們在飛機起飛前半個小時到達機場，把自己的名字告訴櫃檯的那位年輕女士，她列印出登機證，一小時後，我們已經在尼斯了。假使到國外去，那麼至多再出示護照。現在，要提前四小時到達機場。即使國內旅行也需要出示身分證件。排隊扔掉還剩下四分之一的礦泉水瓶，因為礦泉水對於那些習慣喝威士忌的飛行員來說可能有危險。我在講些什麼呢？他們如今也不得不變得機智果斷，並且停止與空姐的調情。安全和美德是確保當代世界正常運作的兩個支柱。而我們摘掉皮帶，脫鞋，半裸著從一個安檢門下走過，感到像監獄的囚犯一樣受到凌辱，然後我們走進機艙，很少有人知道，從那事件以後一位便衣人員就坐在機艙最後面，一個能觀察全艙靠走道的座位上。無論目的地是哪兒，坐飛機都讓我們感覺自己在走向美國西部。

飛機的外觀美與其內部的不舒適成正比。尤其是乘坐遠程客機旅行。天知道這些遠程客機是否真的遠程。它們使我想起《熱情如火》（*Some Like It Hot*）的導演比利・懷德[2]曾經說過的話：「昨天晚上，我去看《紐倫堡的名歌手》（*Die*

Meistersinger von Nürnberg）。八點鐘開始。三個小時後，我看了看我的手錶：八點一刻。」

還有什麼等待我們去做的？閱讀，而且比方說，在小螢幕上看那些地圖，上面會指明這架大機器在那些小陸地上的航程，並帶有解說：「已飛里程」；「剩餘飛行時間」；「機外氣溫」；「預計抵達時間」。一首詩。單調，卻與飛機相匹配。把它拋到腦海之外，我們埋頭讀機上雜誌，百分之九十的內容是勉強偽裝的廣告和社論式文章，還有一些我們在地面上從來不讀的雜誌，英文的金融雜誌。昨天，《經濟學人》的標題是「如何使中國更加富裕」，不是更幸福或更美麗，不，不，是更富裕。而在《金融時報》裡，我們讀到了世界上最厚顏無恥的周日增刊，「如何花掉它」（*How to Spend It*）。「它」暗指：金錢。還暗指：我們都擁有巨額的錢財。雜誌上推薦一些二萬五千歐元的手機或十萬歐元的金表。派瑞斯・希爾頓的理想。她肯定不會讀很多書。

我的一位作家朋友害怕坐飛機，他有個方法：帶上一本書，只帶那一本書，那本書很難讀，而且需要多做思考，因而佔據了他的全部注意力，使他遠離恐懼。這本書，就是康德的《純粹理性批判》。以苦惱來治療恐懼是精神科專家們未給予充分考量的治療方法。對於我來說，我在飛機上不會特別感到安心，可是我應當喜歡這種不安心吧，因為我通常帶一些不需要持續注意力的書。昨天是斯湯達爾的日記體作品《羅馬漫步》。而且，就在羅馬上空不太遠的地方，我讀到了這句寫於一八二九年的關於工作文化的定義：「他一走上生活道路，這個年輕人，不是讀詩歌或聽莫札特的音樂，而是聽到了經驗那傷心的話語聲，它對他說道：『每天工作十八個小時，要不然後天你就會餓死在大街上！』」不過工作不是恰當的字眼，因為它也可以代表我現在正在做的事，或者其他有好職業的人，如畫家、園丁。把統治現代世界的可怕體制稱為「工作文化」是對工作的誹謗，因為這種普遍存在的工薪制彷彿是弱化了的奴隸制。我們應該稱之為勞動文化。在飛機上，我們一直坐著，幾位高個子金髮女士朝我們彎著腰，溫柔地向我們微笑，給我們提供飲料和食物。在飛機上，我們是坐在嬰兒車裡得到媽媽安撫的嬰兒。飛機上的理想讀物應該是童話，不應當是那些令人無法安心的文學作品。

1　此處指法語 transporter 一詞的兩個詞義，分別是「運送，運輸，搬運」和「使……在想像中置身於」。

2　比利・懷德（Billy Wilder，一九〇六～二〇〇二），美國導演、製片人、電影編劇。

在海灘上讀書

Lire à la plage

我把它帶到了海灘上，那位我酷愛的作家的作品，留下了另一位僅僅是我所仰慕的作家的書。每次翻開斯湯達爾的作品，我都興高采烈地跺著腳，我興味盎然地微笑著，我渴望擁抱他。每次翻開福樓拜的作品，他那濃重的虛無主義就如瀝青般落在我的肩上。當然，還有他那令人欽佩的正直。是的，是的。有些書，我們喜歡它們，卻不喜歡它們的作者；也有一些書，我們因為喜愛其作者而喜歡上它們。我們感到自己與作者有一些感性上的共同之處，誠懇而不做作。而正因如此，有些作家如斯湯達爾在過世後仍然引起別人對其生平的狂熱研究。人們渴望找到之所以喜歡這位作家的補充理由。關於其他作家，對他們的研究則更具相當意味的諷刺。我所指的是那些不誠實和裝腔作勢的作家，這些缺點並不妨礙他們施展才華。夏多布里昂令人欽佩，然而他十分自負，因此我寧願希望在其生平中找到一些能夠剝掉其偽裝的證據。

在斯湯達爾的書裡，我讀到了這個段落，開頭如下：「我們的女性旅伴中那位熟知莫札特的女性今天晚上對我說……」。我十分喜歡這個句子。多麼精美啊，這樣的一個句子。帶著輕微的醉意，我吻了吻《羅馬漫步》的書皮。置身於南美洲的一片沙灘上，下午五點左右給自己叫上一杯冰鎮雞尾酒，然後輕度酒精中毒，這並非無法忍受的事情。而且，我覺得不去洛斯羅奎斯群島－這主意很不錯，我就是瞧不起那個世界上最美的群島。凌晨五點鐘就起床乘坐小飛機到被世人公認為世界上最美麗的海灘之一去游泳？還要預付一六九〇玻利瓦爾，簡直是燒錢，而且其官方匯價為二．一五比一美元[2]！我會身無分文地渴死，無論從哪個意義上講都是這樣。我非常喜歡他。我非常喜歡他，而他令我惱火。他令我惱火，而我非常喜歡他。人們不理解這些。出於對謊言的無限熱愛，他們希望五體投地拜倒在自己喜好的對象面前。他的令人惱火之處是他的政治偏見，例如他誇耀那個拙劣的小說家比高–勒布倫[3]，因為他是左派，而如果沒有這個原因，他會嘲笑小說家那些一文不值的句子，然而不管怎樣那也是他個性的一個組成部分，如同他一米七的身高。他身高一米七，我認為，他有一個方方正正的腦袋。不，蘋果般的圓腦袋。他生性快活而略微尖刻。快活的書並非是世界上最多最常見的書。正是為此我們應該如同尊重世界財富般地尊重它們。這世界上有多少抱怨、痛苦和非難啊，我自言自語地說道，然後出門去了書店。我從擺放著優秀作家作品的書架前走過，優秀但卻令人沮喪的作家，因為他們不是抱怨這個就是對著那個狂呋！如同以往一樣，我走到作家名字以S開頭的「經典書籍」專櫃那兒呼吸新鮮空氣。我們要多多感謝斯湯達爾。

啊，他的那些言簡意賅的文字！多麼恭謙的聰明啊！他從未低估我到向我做解釋的地步！而這種唯獨他特有的詞語搭配方式……「他絲毫沒有這種令人懼怕的快活，而這已成為我的宿命。」這種令人懼怕的快活……說的是他的叔叔加尼翁……糟了，我的仿曬霜弄髒了書頁的白邊。我要描出這個小污漬的輪廓來，它看起來必定會像對面的小島。就這樣，我先是完全無意，然後又設法讓自己有意而為之，這個污跡將變成我閱讀的一個回聲。閱讀使我們從實際生活中脫身而出，有人為此對我多加指責。不過閱讀也能讓我們感受到它的奇異。我從書本上抬起頭，驚訝萬分地發現自己重新回到現在。在委內瑞拉的一個海灘上。一個賣牡蠣的小販邊走邊吆喝著他的牡蠣，他把牡蠣放在一個藍色的塑膠桶裡。他跪在海邊為牡蠣換上新鮮的海水。離他不遠的地方，有個小男孩小心翼翼地邁步朝大海走去，而另一個孩子則又蹦又跳地跑了過去。瞧？生活。從遠處看，生活顯得熱情洋溢。我們回歸感覺的世界吧。我沒有謹慎地抖動身體甩掉它，在墨汁的海洋裡潛水令我產生片刻的窒息感。我需要游一陣子蛙式來熟悉它。又是一句我再三重複的話：「我喜歡他！」他嘲笑教皇，他們「開始害怕樞機主教造成的醜聞，而且通常只提拔那些出身名門世家的笨蛋們到樞機主教團去任職。」。他評論道：「現在一切都盡可能好地發生了變化。」在為《紅與白》（*Lucien Leuwen*）撰寫的序言裡，保羅．梵樂希說斯湯達爾「狂暴地對待那些受尊敬的人」。這就是人們分外喜歡他的原因。（也喜歡梵樂希，他在文章中悄悄地加進去一個插入語，故意在這個插入語中使用了一個過時的古法語表達方式，文化程度不高的讀者會將它視為一個法語錯誤。一個知識界名流的語句。一個僅在我們之間說的句子。這句話十分簡單，就是：「儘管他有著那麼多的才智。」正是在這些小事情上我們才能辨認出純粹的作家）我在被稱為「塞爾日・安德烈」版的《羅馬漫步》裡又找到一個斯湯達爾的旁註，一條註解拍拍我的肩膀對我說：「小心謹慎。」他認為自己小心謹慎！而他的這種笨拙（這種激情）動人心弦。還有他的那些傑作，當然了；不過對於我們所喜愛的作家來說，我們喜歡他的一切，甚至包括他的洗染店發票。

1 加勒比海中央的一個珊瑚群島，旅遊勝地，位於委內瑞拉境內。

2 又稱強勢玻利瓦爾，委內瑞拉於二〇〇八年推行的新貨幣，由於外匯管制，其官方匯價比實際匯價高許多。

3 比高－勒布倫（Pigault-Lebrun，一七五三～一八三五），法國小說家和劇作家。

在~~螢火蟲的光亮~~書店裡讀書

Lire dans les ~~lucioles~~ librairies

不讀書的人不知道在書店裡所能感受到的那種興奮之情。他們無法想像一家如此安靜的商店，店員和顧客各在一邊，這樣的商店除了令人覺得無聊之外還會有什麼別的好處。好極了，他們沒有意識到，對於他們對自身重要性所形成的看法而言，書店是個十分危險的地方。在書店裡，我們會明白為什麼那些昔日的國王在批准設立印刷廠時猶豫再三。當人單獨與另一人在一起時，他的思維便無法控制了！書店裡的這些顧客神情如此平靜，如此沉浸於內心，好像一些在慢騰騰咀嚼樹葉的長頸鹿，但他們卻是一個個充滿熱情的火球，內心沸騰、跳躍、全神貫注。

一家書店挽救了我的生活。我想，那裡的光線是從上方照射下來的：我在卡斯特拉書店，當時它是圖盧茲最好的書店。我朝著樓下的陽光走去。所有這些圖書如同羊群一般安靜，每本傑作都是十法郎！傑作，我說得對吧？我每次去那裡都感覺自己身處天堂或者近似於此。我一直都在持續不懈地全面探索並且被允許進入這個天堂。我找到了我的王國。我沒有去上民法課，而是像一個墜入愛河的僕從徘徊於他的美人兒的窗下那樣在書店裡遊蕩。不是沒有麻煩到那位書店老闆，她名叫雷吉娜，我記得她，您好，雷吉娜，如果您讀到我的這本書，我非常喜歡您。您對我——當時的那個少年——耐心十足。我仗恃自己對文學的熱情而不斷地麻煩您。我曾經讀到的那些書，這個這個，還有那個那個，您和藹可親地回答我的問題，我喋喋不休地重複我的看法，我的質疑，我的問題。最後我逼著自己走進了大學學習法律，但我的膝頭從來都放著一本書，就像數年前我做彌撒時，或者數年後當我在一家企業工作而不得不參加一個比彌撒更愚蠢的被稱為討論會的會議的時候。在我一生中所到過的所有的嚴肅之地，我都在做著更為嚴肅的事情：讀書。

在巴黎，再沒有什麼比我的一本書第一次擺放在槍樓書店（la Hune）的櫥窗裡讓我更得意的了。這就像獲得聖日爾曼德佩-榮譽勳章一樣。同上——如佛杭蘇瓦·維庸[2]所說——我還在科萊特·凱爾伯的家裡，位於朗布托街的「科萊特筆記」書店[3]裡首次朗讀自己的作品。同上……不過我不是在做競選巡迴演講，所以我不會沒完沒了地提起所有那些好書店，它們使得巴黎依然還是我們頻繁往來的城市。一個城市裡有那麼多家書店，因而有那麼多的讀者，這樣的城市不是一個我們得立刻逃避的城市。

每到一個國家，我都會去那個國家的書店，即使我不講該國語言。書店體現了當地的知識、情感、美學狀況。雖然這些狀況屬於少數人，但少數常常占上風：要嘛是少數派當政，得體的民主政府儘管為民有，但部分看來領導階層也是少數派；要嘛是少數派質疑當權政府，後者就得提防來自反對派的誘人芬芳。我們在書店裡也聞到了這樣的香味，從書本被製造出來的方式看，我們感覺到的不是趣味，而是一個民族對舒適的起居設施的態度。德國人製作精美謹嚴的書，始終有點類似於彌撒書……英美兩國的精裝書，徹斯特菲爾德的那些長沙發，以及既貴又不結實的平裝書，書店已經準備將這些平裝書扔進髒庫房，它們在那裡膨脹變形得像手風琴，因而以五十便士的價格處理掉……專制國家的書店都差別不大。在前蘇聯時代的歐洲共產主義國家的書店裡，我們透過櫥窗裡的某某全集和當地誰誰的作品集，能感到恐嚇的重壓和愚蠢的虛偽，而在書店內部，發臭的茶杯堆在十九世紀末法蘭西學院院士們的著作譯本上。這正是那些獨裁者在被他們後來推翻的舊制度下的監獄裡曾經讀過的書籍。溫水對嗜血者產生影響是一件怪異的事情。

在紐約，我從未喜歡過高譚書店（Gotham），它之所以倖存下來，是因為它以詩人和「垮掉的一代」為其主顧而聞名（對於後者，我在尋思他們是否真的常去書店，他們只讀奧義書[4]），這家書店沒有什麼有重要價值的書，卻價格昂貴，雖然我是在那裡找到了我的第一本《茱萊卡·道布森》（*Zuleika Dobson*，一九一一），馬克斯·比爾伯姆的牛津小說。三生書店（Three Lives and Company）變得平庸了，離東德的水準不遠了。好書少了，書也少了。它位於曼哈頓唯一的道路複雜的街區——格林威治村，那裡的六條街道比伊斯坦堡的小巷更交錯紛雜。奧斯卡·王爾德書店關門了，普雷斯大學書店也關門了，以及……紐約的書店如同螢火蟲般一個接一個地消失了。

馬德里有許多書店，不那麼令人愉悅，不過也並不像羅馬的書店那麼令人悲傷。莫利納是一家極右翼書店，極為令人不快，從櫥窗開始就令人嗤之以鼻。「你覺得呢？不如說在宣揚軍國主義」，一位天真單純的女性朋友對我說，我立刻把她帶出了書店。

也有同類的令人不快的左派書店，共同點就是此類書店內的重要書籍所散發出的怨恨，這些書擺放在重要位置上，雖然它們的數量並非最多。同樣的狡猾傲慢，同樣的自信，認為唯有他們的想法才有價值。這裡擺放的不是那些反動大人物的傳記或者那些所謂的被詛咒者實質為惡棍的人的再版作品，而是給購書者留下討喜印象的宣揚另類全球化運動的小冊子。對社會的怨恨就體現在偵探小說裡，至於其他仇恨，書店裡不賣哪些書就能說明問題了。

人們因為《丁丁在剛果》而指責作者艾爾吉[5]是極右翼份子，然而卻不感謝他也在《奧斯托卡王的權杖》裡描寫了極右翼的革命陰謀。他是極右份子，不過他還是這樣做了，因為他首先是藝術家、記者，其次才是極右翼：他的作品、他的報導的最高利益比他的觀點更重要。在二〇〇七年，博德（Borders）連鎖書店，英國最可悲的書店之一，從各家分店的銷售書架上撤下了《丁丁在剛果》。這是一個並非由生產商，更不是由政客們，而是由發行商們執行完成的重大查禁行動；我們不要在博德書店裡買書了。這些人如此愚蠢，不配身為書店經營者，我們肯定會在他們的書架上找到塞利納的作品。

書湯書店（Book Soup）雖然是洛杉磯最好的書店，卻趕不上布列斯特的任何一家好書店。在洛杉磯的這家書店裡，那位和藹的女店員在電腦裡檢索《小鎮畸人》（*Winesburg, Ohio*）的作者，我當時記不清他的姓名了：「安得森……舍伍德……

這是本新書嗎?」新書?這是二十世紀最偉大的小說之一(一九一九年),對於這些作品,美國人發明了「現代經典」一詞。

在巴黎,有些街區的書店老闆或許可以改行去賣鞋。在一家書店裡,一位女顧客在諮詢一本書。「您說的是?」書店豐滿的金髮老闆娘問道。「我查查看。您可以再說一遍嗎?……我沒找到。奇怪。我再打一遍。O,b,i,t。不,電腦裡沒有。我再按照作者類別找一找。您能再說一遍嗎?……啊!Tolkiem。不,什麼都沒有。」那位女顧客猶豫著沒有再說托爾金[6],同樣也不確定《哈比人》(*The Hobbit*)的拼寫,於是又問了另一本書。女店主不怎麼瞭解這本世界暢銷書,沒完沒了地在她的電腦裡檢索著。「我來試試別的……C,r,i,s,h,t,o,n……什麼都沒有。」我決心干涉一下:「那是一個c。[7]」我們的這位華爾奇麗雅[8]立刻不滿起來,接著是機關槍掃射般的一串話。「我沒必要瞭解這位作者。有那麼多人，這些作者。還有這些廢紙，等等。」

一位合格的書店老闆，很簡單：他瞭解文學。巴黎村聲（Village Voice）書店的老闆蒂姆，他讀過席瑞爾・康納利[9]的《不平靜的墳墓》（*The Unquiet Grave*，一九四四），從紐約的那家再版了該作品的小店裡訂購了五本擺在自己的櫃檯上。他知道，在他的文學讀者客戶群裡，這本書會引起他們的好奇心，會喚起他們的美好回憶，於是五本書銷售一空。一位不合格的書店老闆，很簡單，就是某家連鎖書店的店員：我向一位男性店員詢問《研究》（*Etudes*）雜誌。「這本雜誌……？」他在電腦裡檢索：是在歷史書專櫃。到了歷史書專櫃，「這本雜誌？……」女店員在一張桌子底下尋找，然後遞給我《巴勒斯坦研究》（*Revue d'études palestiniennes*）。啊，不是這本，小姐，我認為不是這本。電腦向她顯示那家連鎖書店沒有賣過這本雜誌。於是一無所獲。我一點都不驚訝。對於這位年輕女性來說，我肯定是在問一本沒有多少重要性的小雜誌。這就是無知的可怕：她沒有意識到她的這種狀況的嚴重性。最糟糕的是，假使我向她解釋這是耶穌會雜誌，它已經有一百五十年的歷史了，它很有影響力，那麼我會被她視為一個古怪的人。未開化時代的一個標誌就是人們不再對無知感到羞愧。

因為始終不喜歡那些令我不開心的事物，這就是為什麼我又回到那些獨立經營的好書店的原因。在那些好書店裡，可能就在此時此刻，一位讀者在翻閱我的書，正好讀到了這幾行文字。他會抬起頭，我希望，與我一起歌唱，以印度教克里希那神頌歌的曲調唱著「一流書店頌歌」。正是這些為數不過幾百的法國書店，同時有賴於我們的書籍定價法——其他國家頒布該法令時稱之為「法國法」，才遏制了全球的博德連鎖書店標準的普及化。

書店讓人們接受了文學，因為它讓文學走進了商業。

1 聖日爾曼德佩（Saint-Germain-des-Prés），巴黎市第六區的一個街區，該地區歷史悠久，被視為巴黎思想與文化的重地，許多法國文化界名流都曾聚集於此，它也是存在主義運動的中心。

2 佛杭蘇瓦·維庸（François Villon，一四三一～一四六三），法國中世紀末期偉大詩人。

3 「科萊特筆記」書店（Les Cahiers de Colette），巴黎龐畢度中心附近的一家特色書店，店主科萊特·凱爾伯女士是巴黎文化界名流。

4 印度古吠陀教教義作品。

5 艾爾吉（Hergé，一九〇七～一九八三），比利時法語連環畫家，代表作是著名的系列連環畫作品《丁丁歷險記》。

6 托爾金（John Ronald Reuel Tolkien，一八九二～一九七三），英國作家、詩人、大學教授。

7 指的是《侏羅紀公園》的作者，美國暢銷作家麥克·克萊頓（Michael Crichton）。

8 華爾奇麗雅（Walkyrie），北歐神話裡主管戰爭的女神。

9 席瑞爾·康納利（Cyril Connolly，一九〇三～一九七四），英國作家、文學批評家。

為了把書放在桌子上而讀書

Lire pour poser les livres sur une table

誰是第一個把畫冊稱為「漂亮的書」的人？我認為人們說這些書漂亮是因為它們的價格昂貴。漂亮即使不算是一個非正常的概念，也是個隨機性的概念。漂亮常常用在為我們的激情說明理由，比方說，我們花錢的熱情。還有些時候我們將那些傳遞給我們一種性興奮的事物稱為漂亮。大腦對異常興奮的心臟或者空空如也的錢包在喃喃說著：「真漂亮！」

從理想的層面考量，一本漂亮的圖書是一本好書。最漂亮的書應該是由最可親可敬的天才寫得最好的書。而我們的小書桌，不是憑藉那些用每平方公尺重達一百五十克的厚紙並以黃紅青黑四色套版印刷的平行六面體書籍來凸顯自身的價值，而可能會滿足於在自己的桌面上擺放一些小部頭、封皮粗糙、作者為大作家的書籍。我的小書桌在有一段時間裡就擺放著中國出版的魯迅作品：灰不溜秋的紙張、墨色不均、封皮簡陋。我也喜歡在桌子上擺放法國大學叢書的粉紅或黃色版圖書（印刷它們的人稱做「布迪叢書」[2]，而編輯它們的人稱做「法國大學叢書」）：希臘語－法語或拉丁語－法語的雙語版本圖書，附有比大偵探白羅[3]還要細緻嚴謹的註釋；那些作者是尤里皮底斯[4]、普魯塔克或奧維德[5]。四十年前，純文學出版社（Belles Lettres）出版了無商標名稱的圖書：我買到蘇埃托尼烏斯[6]的《論侮辱》（*Traité des injures*）只有標題和名稱，我覺得這樣的書完美動人，而且此後也不可能再出現。在一個成功銷售了「我喜歡迪奧」的T恤衫的世界裡，誰還可能會做這種事呢？

一本「漂亮的書」是一本帶圖片的文字書。或者帶文字的圖片書。總之是一本圖片書，雖然有文字，那些愛發牢騷的人會這麼說。別忘了，我們生活在一個圖像的世紀！圖片是好東西。我們僅從圖片的本義來看待它，不過文學難道不是另一種形式的圖像嗎？「漂亮的書」裡的圖片並不受重視，所以人們才要求加入文字以使圖片合法化。而最終，文字占了上風。於是僅僅再版文字。這種情況就發生在保羅·莫杭[7]身上，他為藝術圖書館貢獻了一本出色的作品：《巴黎》（*Paris*）。他在其中使用文字來評價一些照片。那些照片的前景是藍藍的天空和滿眼紅色的花壇。那本書的再版沒有照片。那些照片被認為是插圖。當一本書裡既有文字又有照片時，照片最好不是插圖，文字也最好不是評論。兩者如同海灘和大海一樣各在其位、各謀其職。

有時候，一位出版商會邀請一位年輕的攝影師合作。他拍攝的照片被放在一位知名作家的文本的對頁。那位攝影師的水準很好，因而與那位作家一樣名聲大噪。許多年以後，當該書僅存有一個純文字的再版版本時，首版便成為稀有的珍本：低於三百歐元買不到楚門．卡波提[8]的《觀察錄》（*Observations*，一九五九），其中有位首次在書上發表圖片的攝影師理查．阿維頓[9]。

漂亮的書，有時是最沉的書，有時又是最輕的書。這既不取決於作家，也不取決於攝影師和畫家——他們在這些書上與在自己的其他書籍、畫展上傾注了同樣多的心血——而是取決於讀者。讀者通常瀏覽而不是閱讀這些漂亮的書。這也沒那麼糟。每當人們不再看電視，而是俯首坐在小書桌旁翻開那本當成書桌知性裝飾品的書去認真仔細地閱讀時，人們總會被其中的美震驚得一塌糊塗。

1 法語中 beaux livres（直譯「漂亮的書」）特指配有大量插圖、用紙考究的精緻讀物。

2 該叢書由布迪協會（Association Guillaume Budé）資助出版。

3 白羅（Hercule Poirot）是英國女性作家阿嘉莎．克莉斯蒂的偵探小說中的主人公。

4 尤里皮底斯（Euripides，西元前四八〇～前四〇六），古希臘悲劇詩人。

5 奧維德（Ovid，西元前四三～西元十七），羅馬帝國的拉丁語詩人。

6 蘇埃托尼烏斯（Suetonius，生卒年月不詳），生活於西元一世紀和二世紀羅馬學者和作家。

7 保羅．莫杭（Paul Morand，一八八八～一九七六），法國作家、外交官、法蘭西學院院士。

8 楚門．卡波提（Truman Capote，一九二四～一九八四），美國作家。

9 理查．阿維頓（Richard Avedon，一九二三～二〇〇四），美國攝影師。

讀書如花朵綻放

Lire comme une fleur

為什麼繼續讀一本書？這是希望所造成的影響，一個破壞性的影響。如果一本書是糟糕的書，那麼它永遠變不成好書。

這不像我們強迫自己進入馬拉美的一首詩那樣。在一種情況下，我們逼迫自己反對那本書，而在另一種情況下，我們逼迫自己反對自己，反對一種閱讀習慣，閱讀某種形態的句子的習慣。這種習慣是由以下兩種因素造就的，常見的書面作品，以及我們在學校所學到的法語意識形態，它認為世界上應該僅僅存在一種句法，它會使我們的語言更完善、更理想，而全世界都想掌握它的法則。兩百年以來人們一直反覆這樣對我們說，但世界並未接受其中任何一條法則。一位牛津大學的朋友曾經向我指出，為了捍衛我們語言的可敬邏輯，即那種根據人類思維模式而建築於主詞、動詞、補語之上的語言邏輯，法國模範意識形態學家李瓦羅—也使用了同位語。這麼看來，思想似乎並非有條不紊地以主詞，隨後為動詞，再由補語接續這樣的方式做理性思考。這種偽裝成普世真理的民族主義導致了一種法國人特有的對合理性的譫妄，以及對某種出人意料的句子的拒絕；而這種句子，他們稱之為晦澀難懂。他們就像那個自己不能從阿爾伯特·科恩的作品裡提煉出一個電影劇本卻指責作家無能的電影編劇一樣。我是讀者，如同盛開的花。我等待蜜蜂。

1 李瓦羅（Antoine de Rivarol，一七五三～一八〇一），法國作家、記者、隨筆作家、擅於筆戰，因出版《論法語的世界性》獲得廣泛聲譽。

閱讀書的細枝末節

Lire les à-côtés des livres

傑作只具有自己的特點。作家在寫作時常常把自己視為人物角色，因而從某種程度上說，作品是被另一個人所書寫。一個更十全十美、更瘋癲癡狂、更熱情洋溢的他。正是這些細微之處體現出作家的完整個性。在一份手稿拍賣目錄（皮亞薩，二〇〇七年十一月）中，有一封瓦樂希・拉赫博從布魯塞爾寫給里昂－保羅・法爾格的信：「見到了路易絲林蔭道和薔薇的屁股。」（Vu l'avenue Louise et les fesses des rosiers.）這除了給他帶來寫作樂趣之外不會帶來任何東西。當一位作家在作品之外的地方揮霍自己的才華，我們才能覺察到他的大方。

作家讀書

Lire quand on est écrivain

處於激情狀態的閱讀有時是寫作的預兆。讀，讀，讀，於是差不多自動發展到寫，寫，寫。那些寫作的人在寫作，因為他們已經讀過書了。文學會是一種模仿嗎？在那些人們不讀書的社會裡，人們不寫作。啊！吉爾吉斯斯坦。我不知道自己明日是否會重回那裡。

或者相反？讀者無法排在作家之前。一天，一個瘋子覺得需要寫某種非實用性的東西。既非法律文本，亦非訴訟原本，既不是董事會報告，也不是《創世紀Ｉ》或者宮廷編年史。不，不，一個無用的瘋子坐下來並寫下了：「啊！能夠如馬達一樣完整地表達自我！／能夠如最新型汽車那樣在生活中勝利前行！」或者有人在那一年——西元一千年或五千年——想要寫出與費南多．佩索亞的「勝利頌」相當的某種東西。

一個必定成為作家的人在孩童時就有一種難以滿足的讀書慾，與那種無法滿足的情愛慾望相近。那種想把一個面帶微笑的美麗嬰兒一口吃掉的虛幻慾望。

當人們在青年時代閱讀大量的書籍時，我認為那是為了成為作家，而如果這個夢想沒有實現，那位偉大的讀者就會成為不顯露於外的作家。隨著光陰的流逝，他忘記了自己的作家夢，繼續讀書，如果他不感到辛酸的話，那麼這樣很美好。我遇到的糾結於無人讀自己作品的小作家的人數要遠遠多於那些苦於自己從未從事過寫作的偉大讀者。

當有人正一邊繼續比例失調地讀書一邊成為作家時，這是（有時出於無意識）為了學習寫作。在無價值的書裡學不到任何東西。它們與偉大的作品一樣晦澀難解。它們沒有價值，而在無價值之中，沒有任何範例需要牢記，因為無價值甚至不等於糟糕；在糟糕之中，有一個失敗，我們可以試著猜測這個失敗的原因。在偉大的作品裡，因為一切都十全十美（讓我們假設這是可能的），所以我們無法看到作者去掉或者添加了什麼東西，因為它真的十全十美。偉大與無價值都是不可見的。

當我們持之以恆地讀書時，我們明白有必要連續閱讀同一個作者的好幾本書。如果這位作者擅長寫作，亦即改造素材，那麼他不會在與我們的初次相遇時就向我們揭示出他的種種特點。

當我們已經成為作家時，有時我們讀書可能是為了不寫作。毋寧說我們在這個監獄裡判決自己服刑一年、兩年、五年、十年，以便讀完一本書！其他人有才華，為什麼我得費很大勁還不知道自己是否有才華呢？

當我們是作家並且正在寫作時，一本讀過的書有時候成全了我們正在創作的作品。它們不一定相像。您可能會訝異地發現作家與作家之間的相似性正是處於縫隙之中。雖然這種相似並不存在，但我們可以猜測出它可能存在於這些地方。由於另一個人的書成全了我們的書，應該珍惜它，否則就會輪到我們來成全他人的書了。於是我們開始讀另一本書，一本同樣引人入勝的書，因為我們在其中找到了一些自我的元素，我們還是始終不寫作。寫作是將自我封閉於文學之中的活動。

當我們是作家且當前並非在寫作時，有些時候讀書會振奮人心。這些我們沒有寫書的時候是空洞的非社交時間，是作家變為與自己截然不同的妖怪的時刻。在寫完小說之後，他們貪婪地回到他人的作品之中。

我認識某個十分聰明的人；很有文化素養的人；非常多才多藝的人；然而，當他寫作時，喀噠。如果說他不會寫書，那是因為他不會讀書。他讀小說時看到了小說的主題，讀詩歌時看到了詩歌的形式，讀戲劇時看到了戲劇的對話，總之，看到的都是前景和表面的東西。而真正的主題，比表面更為表面的東西，思想，以及隱身於十四行詩、聯想性回憶（anamnèse）、交錯配列法[2]（chiasme）、不可靠敘述者等等修辭形式之後的東西，句子結構的深層原因?在舞蹈裡，並非一切都是舞蹈動作。

我們可以喜歡普魯斯特而像諾普瓦那樣寫作。

假如我們像諾普瓦那樣寫作，我們會如此喜歡普魯斯特嗎？

一位真正的讀者，雅士，他有可能寫得糟糕嗎？

寫得糟糕是什麼意思？

讀者面對作家時的一個常見行為就是對其主題提出質疑。「您寫了一本名為《游泳的男人們》的詩歌作品，為什麼不是《游泳的女人們》呢？」有讀者曾經這樣問我。很有趣的問題。我覺得這個問題很有趣。當塞尚展出一幅畫著蘋果的畫作時，從來沒有人問他：「為什麼您不畫一個梨呢？」從來沒有人問費里尼：「您作品中的女性都有著碩大的乳房，為什麼您不描繪那些陰莖粗大的男人們呢？」同樣也沒有人問蕭斯塔科維奇：「您創作了一首交響樂，為什麼不是小夜曲呢？」好了，我不認為這是專門針對作家的一種惡意。不如說是那些善意而笨拙的人們鑽研文學，因而也是熱愛文學的一種方式。有時候喜愛也可能讓人膩煩。

1 費南多．佩索亞（Fernando Pessoa，一八八八～一九三五），葡萄牙作家、詩人。

2 交錯配列法，即在前後兩個並列的句子中，第二句是第一句顛倒排列的修辭手法。很多著名的格言和名言採用這樣的句式。

高聲朗讀
Lire à voix haute

a. 他人的著作

a.1 令人惋惜的錯誤

自一九九三年起，薇若妮卡．奧布伊（Véronique Aubouy）拍攝一些正在閱讀《追憶似水年華》的人。她一個接一個地拍攝，每人六分鐘。其中有名人，也有沒沒無聞的人，有年輕人，也有老年人，有鍾愛普魯斯特的人，也有從未讀過《追憶似水年華》的人，以及其他林林總總的各類人。這個計畫再一次說明數量（人們曾經說過不少關於數量的壞話）有可能成為品質的一個構成元素。不只是單純地閱讀普魯斯特的作品，這是一幅為讀者而做的肖像畫。每個人選擇自己的演出。這個人嘩眾取寵，那個人高聲朗誦。這個人結結巴巴地讀著，那個人聲音單調地吟誦。它也是一幅間接描繪錄影創意人員的肖像畫：這些讀者，她選擇了他們。有她的母親，她的朋友，那些像我一樣她在十年前要求參加拍攝並且在十年後這樣做的人。《被閱讀的普魯斯特》（*Proust lu*）將一直持續到二〇五〇年。這是它稀奇古怪的地方之一：我們中的許多人參與創作了一部知道我們自己極有可能看不到結尾的作品；薇若妮卡．奧布伊自己會一直活在世上來完成這部作品嗎？普魯斯特式的問題，如同《追憶似水年華》的敘述者所提出的問題，他在尋思有朝一日自己是否會寫自己的小說。

《被閱讀的普魯斯特》最後還是一幅法國社會的肖像畫。當我剛剛在巴黎聖日爾曼林蔭大道一位瓷磚設計師的店鋪內結束錄製我的讀書錄音時，進來了一位靦腆的英俊青年。他在等候。我們指給他看那位負責人。「我聽說了你們的普魯斯特計畫，」他說，「我是個花店老闆，專門經營嘉德麗雅蘭（catleyas）。」我們知道嘉德麗雅蘭在奧黛特和斯萬[1]的交往中的重要意義。普魯斯特對法國社會的衝擊和影響達到了令我們瞠目結舌的地步。他有可能會想到嗎，想到在自己的第一卷本小說費了九牛二虎之力才得以出版的近百年後，他的大名將會在全法國家喻戶曉，甚至一位年輕的花店老闆因此成為參與錄製《被閱讀的普魯斯特》的下一個成員？這個年輕人的花店位於巴黎十七區，就在普魯斯特童年生活過的房子不遠處，也在作家後來一直在那兒買花的那家老闆名叫拉肖姆的花店附近。在法國這樣一個政府曾經敢於建立民族身分部的國家裡，這位年輕的花店老闆做出了唯一合乎情理的回答：由精英主義完成的一體化。我甚至要說：出身各異的普魯斯特迷們，憑藉審美觀聯合起來吧！為未來的瑪德蓮餅乾而奮鬥！而且，為了宣告文學超越了出身，這些似乎由我們那如同護照戳印般的姓氏所確定下來的出身，我會把這個父母為卡比利亞[2]人的花匠的名字卡林·馬澤夫（Karim Mazef）與普魯斯特的名字聯繫起來，而且我們並不十分確定普魯斯特的國籍，因為他的母親是猶太人。

我在錄製的時候犯了一個錯誤，我在「人們」一詞後加上了「世界」這個詞；「世人」[3]。這或許是因為我被自己的閱讀節奏所驅使，我的閱讀節奏是結合了自己對普魯斯特的瞭解而選擇的節奏。讀者的節奏永遠不會恰好就是作者的節奏，因為讀者在閱讀中加入了自己對作品的闡釋，其中包括了一部分的內心疑惑。因此在一個既定的時刻，我的節奏遭遇到一個對它而言過於簡短的詞語。「人們。」迅速在我腦海裡的詞彙表中翻找，並且又立刻經過我的記憶的核實，證明它可能會更適合將普魯斯特的這個詞語補充完整，於是多了這個詞語：「世界。」那是普魯斯特在幫助我，讀者在他的作品裡頻繁地見到「世人們」這一表達；我的錯誤在為自己尋找一個合理的依據。在我閱讀的那個段落裡，普魯斯特的那句話的涵義因為這個補充詞語而有少許走樣。不很多，一點點。不過還是走樣了。我們閱讀的大量的書，例如那些我們只有透過演員的謄抄本才得以瞭解的劇本，都極有可能如此這般地遭到一些令作者毛骨悚然的對其微妙差異的破壞。

在我選讀的普魯斯特的這個段落裡有一位「戴比努瓦夫人」。我曾經琢磨是否應該將其讀做「戴比奈」。在經過短暫的查找之後，我還是什麼都不確定，於是我對自己說，如果當初真的如同我想的那樣，因為盧梭的那位戴比奈夫人如果讀「戴比奈」，那麼普魯斯特會對讀者做些說明的。因為如果是「戴比奈」，普魯斯特大概會就該名字的由來插入一段三十字的意識流，然後在這兒或那兒，留下幾處再現其人物與盧梭那位女性友人之間的關聯的同音異義的文字遊戲。他十分喜好這些故意而為的誤解（它們在他的作品裡極為豐富，揭示了他對人之善的諷刺看法）。自一九九三年以來，《被閱讀的普魯斯特》裡的任何一位讀者都不知道維勒帕爾西斯夫人的姓氏的正確讀音是「維帕爾西斯」，這是經敘述者本人指出來的。據猜想，普魯斯特是讀者所讀過的作品最難讀懂的作家。由我來讀亦然。

a.2 幸運的錯誤

我們的頭腦有慣性思維的傾向，有時它看到書上的一個詞，想到的卻是另一個詞。於是它驚歎了。這位作者多麼與眾不同啊！誰會想到將這樣一個詞語與它前面的詞搭配在一起使用？多麼令人茅塞頓開的效果！我們接著繼續閱讀，發覺思維的鏈條脫節了。我們不得不停下來。從何處開始閱讀變得不再順暢？呃，對，就是那個詞。事實上，作者用了一個分外缺乏新意的詞。我們大失所望。那個詞語曾經帶來的意象或新想法，我們甚至無法把它竊取過來，因為從智力的角度看來它還沒有成形。

b. 自己的著作

b.1 當眾朗讀，尤其是朗讀詩歌

我十分排斥在公開場合朗讀我的作品，因為在我看來文學是緘默不語的。那是介於一種沉默與另一種沉默之間的問題。被讀之物的能言善辯的沉默，正在閱讀之人的仁慈的沉默。而且尤其是詩歌。是的，在古代詩歌曾經被當眾朗讀，的確，那些行吟詩人；不過，正如薩迪格[4]聽到別人對他解釋那個他很長時間以來目擊的一個蠻族習俗時所說的話：「理由更加古老。」假使在兩千年的歲月裡人們一

直在自己欺騙自己，那麼我們隨後也會醒悟過來。有些習俗是錯誤的。

在高聲朗讀時讓我感到為難的是失去了詞句裡可能存在的細膩表達和作家的有意誤用。聲音一次只表達一個東西。更使我為難的，不是閱讀時可能會有的嘩眾取寵，而是之後寫作時可能產生的政客心態。由於讀了很多書，我們瞭解讀者大眾的反應，於是我們在寫作時彷彿有了一個公眾，而不再繼續如從前那樣：不為任何人而寫，即便有，也是為了感覺而寫。根據我們面對的對象是眼睛還是耳朵，我們的談話方式也有所不同。

b.2 為了公開朗讀而寫的作品

耳朵聽聲音比眼睛看圖文更加漫不經心。耳朵面向所有的聲音，眼睛則始終全神貫注於它所看的東西。所以雄辯的口才幾乎正處於筆掃千軍的反面。口頭的雄辯幾乎必須始終都是喧囂花俏的，而書面的雄辯則可能顯得乾巴巴而簡略。當我們對耳朵說話時，必須提高嗓音以蓋過其他令人分心的話語聲。還應當在講到重要事情之前放慢速度。耳朵像一隻蝴蝶，它只在物理上是固定的；但在感官上，它到處拍翅飛舞。如果因果關係沒有被表達出來，我們永遠不確定耳朵是否捕捉到了這些意思，因此才有了那些因此，這也就是為什麼出現了那些為什麼。

我曾經做過廣播演講與書面演說的對比。當圖像被添加到話語中時，例如在電視上，這時耳朵比眼睛更敏銳，不過眼睛也變得更強大。在我參加過並且在其中表露自己作品曾遭人剽竊的一個電視節目被播出的次日，某位與我關係較親密因而我猜想更關注我言行的人對我說：「我一直不知道你曾經被指責剽竊他人的作品！」電視圖像在對觀眾施加催眠術；人們的所見多於所聞；他的頭髮梳好了嗎，他穿的這件襯衣是怎麼回事？觀眾聽到了五、六個詞語中的一個，甚至不是一句話；並且觀眾以這個詞語為基礎，做出自己的推斷。由此而產生的這類錯誤不一而足。對於一件我並未說過的事情，我不只一次地聽到別人反駁我說：「我聽到你就是這麼說的！」電視觀眾最缺乏辨別力。（談話過程中的）對話者受到那位說話人抑揚頓挫的嗓音及其輔助動作的吸引，說話人強行對聽話人施加影響。（廣播）聽眾的注意力只可能被嗓音的魅力所俘獲，即使他停止傾聽都能認得出那種富有魅力的嗓音，不過聽眾幾乎都得接著聽下去。最自由的人是讀者。

1 普魯斯特《追憶逝水年華》中的人物。

2 卡比利亞是阿爾及利亞的一個山區名。

3 大多數的法語和漢語的語句詞序不同，因此法語原文此處的「世界」在「人們」之後，譯為漢語則為「世界」在「人們」一詞的前面，成為「世人」。

4 薩迪格（Zadig）是伏爾泰一部哲理小說以及小說主人公的名字。

讀訪談錄

Lire des interviews

這是一類相對新穎的書。如果我沒記錯的話，第一位發表訪談錄的作家是儒勒·于雷（Jules Huret），一位十九世紀末的記者；其作品名為《對文學發展的調查》（*Enquête sur l'évolution littéraire*，一八九一），他幾乎採訪了當時的所有作家，從勒孔·德·李勒[1]到龔固爾[2]，從歐尼斯特·勒南[3]到愛彌爾·左拉，從梅特林克[4]到聖波爾·勒胡[5]，雖然那些問題有時過於平常，不過接受採訪的作家們都心裡有數：回答問題就是在預留給自己的極少時間裡表達出想要表達的思想，因此他們設法讓那些問題變得引人入迷。從那以後，訪談錄的出版遍地開花，例如密西西比大學的「與……的談話」叢書（*Conversation with*…）。法蘭西斯・史考特・費茲傑羅。漢姆・波托克。蘇珊・桑塔格。威廉・福克納。《巴黎評論》裡的名為「寫作藝術」的會話錄專欄不時地邀請一些讀者人數達百萬之眾的大戶如史蒂芬・金（我們感覺到為那本雜誌出謀策劃的人的天真，他認為在生活中：「他們必定會吸引年輕人！」），其他時候則邀請一些抒發自己感性體會的作家，例如桃樂西・派克或者庫爾特・馮內果。一些在閒散時候讀起來令人倍感愉悅的書籍。

要定義什麼樣的書是一部好的訪談錄，我們可以試著弄清楚什麼是糟糕的訪談錄。糟糕的訪談錄，就是一本這樣的書：一位熱中於社交生活的女記者向一位多多少少有點名氣的女性小說家詢問：「每天早晨，您喝中國茶還是大吉嶺？」這是一個真實的事例。我不會揭發那位記者，還有那位敢於做出回答的小說家。

她們讓我們回想起：雖然賈克．夏佐[6]已過世，可是瑪麗．香黛兒活得好好的。（啊，您知道，我不可能對一切都做出解釋！）

一本糟糕的訪談錄，就是一本旨在推銷的書，書中的問題是以問號結束的阿諛奉承。例如：凱思，您是在什麼年齡發現自己的吉他才華的？我說出凱思的名字，那是因為此類問題是歌手訪談錄的一個特產。我們可以用布魯斯、皮特或席德來替換這個名字；音樂似乎是一個評論者的過度褒獎與文化素養成反比的領域。

如果我們一心想要有一本好的訪談錄，那麼採訪者必須具有才華，這是錯不了的。我們無法每次都指望被採訪者的天分和才華。談話，正如網球，隨著應答愈加巧妙，談話的品質會愈加上乘。而應答是由提問者來拋磚引玉。他必須知識淵博卻不好賣弄，態度恭敬卻不奴顏婢膝，有好奇心卻非不通世故。這種平衡的最佳範例就是羅伯・馬列[7]採訪李奧圖的訪談錄（這些廣播訪談的內容被保羅・李奧圖記錄於《與羅伯・馬列的談話》，一九五一年）。

有些人在被採訪時表現精彩。他們常常是那些電影藝術家，而且那些人啊！奧森・威爾斯、費德里科・費里尼、迪諾・李吉[8]。我讀過的他們的訪談錄沒有一本不是滑稽搞笑、趣味橫生或者引人入勝的。他們的訪談不同於推銷。他們大方地表達出自己的幽默、思想、機智。總之，根據自己的情形，同時也是因為他們的訪談錄，我做出這樣的評價。在推銷自己作品——它是與文學創作截然不同的政客們的職業——的那段時期，我感到了厭倦。那是在我校正、潤色和修飾自己的答覆並且原封不動地照搬它們的時候。我對自己感到了厭倦。但初次採訪我的記者都會對我先前的答覆滿意，因為他第一次聽到我的這些答覆。於是，為了我並且僅僅為了我自己，我創造出某種不同的東西，它將我從過度的重負之中拯救了出來，這是一種新的看法，一種我加以校正、修飾、潤色等等的新看法。

如果列舉那些採訪時表現精彩的作家們，我會指出戈爾．維達爾[9]以及——為了反駁因為提及前面那個名字而有可能出現的異議——佛杭蘇娃．莎崗。人們可以詼諧而不惡毒。維達爾的特色是鬥志和回憶。莎崗則沉於幻想，只有在說那些最有勁的俏皮話時才會走出她的夢幻世界。波赫士也很優秀，訪談錄甚至可能是他最好的作品，那些即興而來的悠閒談話。最精彩的作家對話錄之一是羅曼．加里[10]的對話錄，《夜將寧靜》（*La nuit sera calme*）。深情，癡狂，激動，古怪。我們可以在沒有讀過加里其他任何作品之前就只讀這一本。它或許就是對話錄是好作品的最佳證明了。

奧森．威爾斯，我們可以在皮耶－安德烈．布當[11]為他繪製的一幅肖像畫中看到他正在前電影學校（現為法國高級電影研究學院）擔綱講座。他的例子表明了既有思想又會說話的人的悲劇。他們不再創作。話語取代了工作。當有思想的人繼續工作時，人們再也想不起他們的偉大，除非他們的談話也顯露出偉大（這是一種慷慨）。奧斯卡・王爾德在被迫緘默不語前就是如此。口才有可能是種厄運。埃茲拉・龐德也有演說天賦，他最終發展到什麼都說，僅僅為了給他那台廢話機器加些燃料。而正是因此他最終在歐洲解放時被關進了監獄。這些人的共同點就是言語輕率冒失。表達思想吧！

「殺死我們的並非悲劇，而是無序。」

桃樂西・派克，《巴黎評論訪談》第一卷（二〇〇六年）

「裝作自己曾經是約翰・韋恩[12]或者法蘭克・辛納屈[13]那樣的人並不正確，對後代亦然，因為這樣做容易讓人對戰爭產生好感。」

庫爾特・馮內果，《巴黎評論訪談》第一卷（二〇〇六年）

「我所喜並非我所是。」

奧森・威爾斯，《訪談錄》（二〇〇二年）

「每位作家的頭腦裡都有一個配備了劇團的劇場。莎士比亞有五十個人物，我有十個，田納西（．威廉斯）有五個，海明威一個，貝克特則竭盡所能地一個都不要。」

《與戈爾．維達爾的談話》（二〇〇五年）

「想到我將會死去，想到我所愛的人有一天都將會死去，這讓我感到噁心。我覺得這令人厭惡，坦率地說，我覺得這不好。這不合適。你被帶到這個世界上來，擁有一個用於思考的機器，你的大腦。你被贈與許許多多的禮物，這些禮物有生活、樹木、太陽、春天、秋天、其他人、孩子們、狗、貓，所有你想要的一切……然後你被告知……眾所周知，有朝一日你會失去所有這一切……這可並不令人愉快，這不好，這不公平。」

佛杭蘇娃・莎崗，《人人都不忠》（遺作，二〇〇九年）

1 勒孔特・德・李勒（Leconte de Lisle，一八一八～一八九四），法國詩人。

2 龔固爾（Edmond de Goncourt，一八二二～一八九六），法國作家，龔固爾學院的創立者。

3 歐尼斯特・勒南（Ernest Renan，一八二三～一八九二），法國史學家、作家。

4 梅特林克（Maeterlinck，一八六二～一九四九），比利時作家，一九一一年獲諾貝爾文學獎。

5 聖波爾・勒胡（Saint-Pol Roux，一八六一～一九四〇），法國象徵主義詩人。

6 賈克・夏佐（Jacques Chazot，一九二八～一九九三），法國舞蹈家，瑪麗・香黛兒（Marie-Chantal）是他於一九五六年塑造的一個人物。

7 羅伯・馬列（Robert Mallet，一九一五～二〇〇二），法國作家和廣播界人士。

8 迪諾・李吉（Dino Risi，一九一六～二〇〇八），義大利電影導演和編劇。

9 戈爾・維達爾（Gore Vidal，一九二五～二〇一二），美國小說家、演員、電影編劇、電視編劇、隨筆作家。

10 羅曼・加里（Romain Gary，一九一四～一九八〇），法國小說家。

11 皮耶－安德烈・布當（Pierre-André Boutang，一九三七～二〇〇八），法國電影導演、製片人。

12 約翰・韋恩（John Wayne，一九〇七～一九七九），美國演員、導演、製片人。

13 法蘭克・辛納屈（Frank Sinatra，一九一五～一九九八），美國歌手、演員。

以朋友的身分讀書

Lire comme ami

假如一位朋友閱讀我們的作品，而且敢於以作品的利益而非作者的利益為先，那麼這位朋友就更值得交往下去，因為從長遠來看這一做法最終對作者有益。古斯塔夫．福樓拜曾經十分青睞低俗品味。這個祖先為衣著俗麗的維京海盜的諾曼第人，這位畢生唯一一次旅行是青年時期曾經到過埃及的旅行者，當時的他像一個肚皮舞女郎般地滿載著浪漫的小飾物和紗巾從埃及回來，這位蓄著小鬍子的副官只夢想著寫一部引人注目的抒情史詩；而如果人們聽憑他這麼做的話，並且他有時也禁不住這麼做，那麼他就會像專營東方商品的舊貨商一樣寫作。福樓拜的朋友馬克辛．杜康－本身也是作家，而且他的生活更安穩舒適，那時他已經是法蘭西學院院士。福樓拜應該感謝他的朋友，而且我們也應該好好感謝馬克辛．杜康完成了這一友好舉措：一次責罵。「別再胡說八道了，古斯塔夫，」他對他說。「幾年前你就滿腔熱情地對我說過，一種失意的外省女人的令人輕視的熱情，不過，好了，你就是這樣，我用了這個詞，犯了個時代錯誤，對，對，無論如何，請你給我放棄這些黃毛小兒的幼稚言行，寫一部現實主義小說。」由於當時福樓拜的極具勇氣，那也是天分的一部分，他寫出了《包法利夫人》。

我記得那是在二〇〇九年四月十二日的《世界報》上。由奧爾罕．帕慕克撰寫的一篇關於福樓拜文章的法語譯文。不好不壞，談的是一些屬於諾貝爾文學獎傳統範圍內的常見瑣事。儘管如此，文章還是有一個珍珠，我在說什麼，一個珍珠？

一條項鍊、一個頭飾、一件首飾！那便是關於馬克辛・杜康。我們應該把說服福樓拜寫《包法利夫人》的功勞歸於杜康，可是這一點，帕慕克並沒有說。他所說的——在一段沒有任何重要意義的花言巧語之後，他本來也完全可以思考思考谷歌的影響並且談談維基百科的倫理問題——只是杜康「女性化，不過值得信賴」。我們看看這位自稱遭到奉行傳統主義的保守派們迫害的人是如何逃離自己的國家並且寫出「女性化，不過值得信賴」的。女性化，不過值得信賴。這讓我想起了一個濫說不已的例子。在汽車商那裡。「我不是特別推薦這輛雙排座轎車，先生。女性化，不過值得信賴。」在出售魚子醬的商人那兒……「女性化，不過值得信賴。」「女性化，不過值得信賴。」

1　馬克辛・杜康（Maxime Du Camp，一八二二—一八九四），法國作家、攝影家，一八八〇年當選為法蘭西學院院士。

讀者是繼承人

Le lecteur est l'héritier

我曾經在自己的這本或那本書裡熱情讚頌過一些作家，沒有任何人再提及他們，在那些作家們的後裔、子女、繼承者、作家協會主席等人之中，有誰給我寫過信？沒有人。這方面，沒有。那方面，也沒有。那個人！他曾經遭受過別人的無情踐踏，然而……而他的繼承人本應送我六百公斤的鮮花來表示感謝。其實，我寫那些書並非為了收到那些作家子侄們的感謝信。在某個慵懶的時刻（那些我不寫作、不讀書、無愛、不很受敬重的時刻），我滿懷好奇心地發現了作家們的真正繼承人是他們的讀者。

我所指的當然不是那些自恃為文學的所有者、將作家視為篡位者的法國大學界人士；他們在氣氛陰鬱的出版社裡發表一些平淡無奇的作品，那些作品由他們指導的那些撰寫博士學位論文、被他們一點一滴榨取研究成果的學生編纂而成。那些大學研究人員只對自己所屬的幫派感興趣，只提供本幫派成員的作品做參考，而那些作品如此平庸，如此缺乏才華和思想深度，從第一頁開始就如此無聊透頂，以至於沒有一個自發的讀者。他們之所以能夠繼續存在下去，是因為他們把自己的作品列為上課的必讀書目，強迫學生們讀那些作品。所以學生痛恨他們，除了其中某些學生，他們是夢想取代那些蛀蟲的另一些蛀蟲，他們從二十歲開始也成為與其相同的一類人，不再有才華，亦無思想，而是具有相同的種族隔離和複製轉載的頑固傾向。那些大學界人士不知道，事實上，種族隔離所疏遠的正是隔離的策劃組織者，他們也不知道，任何排他性的組織都會慢慢地腐爛變質。而在那些身體虛胖、苟延殘喘於陰影下的蛀蟲的憎恨目光下，作家們吹著口哨到海灘去，身後跟隨著讀者。第一位到達的人贏得一個伍爾夫冰淇淋！

他們的讀物

Leurs lectures

問題：「您是如何度過您的監獄時光的？」

義大利末任國王的兒子維多里奧・埃曼努耶里・迪・薩佛亞（Vittorio Emanuele di Savoia）回答：「我閱讀了丹・布朗那本《數位密碼》（*Digital Fortress*）。」

《誰》（Chi）[1]，二〇〇六年八月十六日

1 義大利周刊，以刊載花邊新聞為主。

誰讀代表作？

Qui lit les chefs-d'oeuvre ?

我在這家東方旅館裡租了一個房間，為了能夠在冬泳的同時完成一本書的寫作。一對對英國青年們待在游泳池畔，看著《新聞周刊》和麥克・克萊頓的小說。跟雜誌搭配贈送的小說。我認為自己有生以來從未遇見過某位正在閱讀一部偉大著作的讀者。從來沒有過。沒有人。這令我無比驚訝。也使我再次對自己重複那個問題，來敲響我記憶深處的警鐘，從來沒有過？沒有任何人？當然。不曾在任何的婚禮次日，不曾在任何的鄉間花園裡，不曾在任何一片海灘上，不曾在任何一個游泳池的池邊，不曾在任何一列火車、任何一架飛機、任何一輛小汽車上，不曾在任何地方，而且從未從未從未有過，我從未見過任何人在閱讀普魯斯特、馬拉美、托爾斯泰的作品……誰讀那些傑作呢？

哎，對了，向我母親供應毛皮大衣的皮貨商人。我那時十二、三歲，陪母親到波城，她去那裡寄存一件夏季需要冷藏存放的毛皮大衣。那位正直優雅的老人正坐在櫃檯後閱讀一本法國大學出版的書。他和氣地放好書，然後就忙著照管大衣，彷彿那是一首十分古老的也需要小心翼翼保存著的詩歌。一位拉丁文作者的書，還是古希臘作者的作品？我記不得了；現在，我很想知道答案。不可能。虛構正是用在這個方面，以想像來填滿無知的窟窿。

為了從麻木不仁中清醒過來而讀書

Lire pour se réveiller d'une anesthésie

從二〇〇六年起，《紐約時報》開始在法國印刷發行，而在那以前，我們在法國只能買到進口的十四歐元的周日特刊。該報在法國的售價是六歐元，而且內容與美國版相同，可惜的是，因為是法國版而取消了報導紐約新聞、那討人喜歡的「都市新聞聚焦」（*Metro Section*）專欄；法版《紐約時報》的版面較小，黑白色調，便捷版吧，我想；更加缺乏生氣，猶如盜版。無論如何，在外國讀一份報紙與在其原先國家讀這份報紙根本不是一回事：它已經變味了。同理，一個地區的地方報紙換到另一個地區讀也失去了原汁原味。這是新聞業與文學的差異，文學作品在遷移的過程中所損失的精華要少得多。精華就存在於文學自身，它被傳送給讀者；它多與新聞無關，而且由讀者所給予。文學是創造，新聞是詮釋。

新聞不只與報紙的紙張有關。報紙裡有時候也有文學，而在為數眾多的書籍裡也有新聞，那些書一旦被移出它們生存的土壤很快就會枯萎，例如外國政治家的回憶錄。新聞是對公眾的妥協。與文學的另一個區別在於，文學就是文學，它有可能與其讀者相會。這些完成了選擇行為的人是成年人，而不是一些或多或少不確定的、心不在焉地就著早餐可頌麵包吃著新聞的人。

新聞業就是反覆播放那些旨在平息事件暴力影響的圖像。二〇〇一年九月十一日以及之後的數天內，所有美國和歐洲電視台都全天候地循環播放飛機撞入世貿大樓以及大樓倒塌的影像。這與其說是向我們提供資訊，不如說讓我們從驚訝走向遲鈍。在第一百次打針之後，我們再也感覺不到疼痛了。這或許是件好事。因電視而生的麻醉，誰知道呢？這種麻醉阻止了反阿拉伯移民的暴動。正是出於同樣的原因而停止播放那些自殺式襲擊的圖像，鏡頭裡的巴勒斯坦哈馬斯的成員神情幸福地引爆身上的炸彈。也正是出於同樣的原因美國政府禁止電視台播出火災逃生者為了逃離大火而從窗口向外跳的鏡頭，他們的身體向下墜落的鏡頭，他們的身體跌得粉碎的鏡頭。（禁止拍攝伊拉克陣亡士兵被運送回國的棺材則是出於另一種意圖。他們為國家犧牲了自己的生命——既然大家都那麼說——而國家為了阻止民眾靜心思考他們的事情卻承認那些士兵們並非為祖國而死）文學，由於不和大眾打交道，有可能會描述一些恐怕並不令人感到愉快的事情；個人感情沒有集體感情那般強大，那麼具爆發性。傑．麥克南尼－在他的小說《美好生活》（*The Good Life*，二〇〇六）裡僅憑一幅圖片就為所有被封禁的圖片報了仇雪了恨。那是關於聲音的圖片。圖片的內容是從世貿大樓墜落的身體伴隨著水果的腐爛聲音一起粉碎。如此令人浮想聯翩的圖像，無需再做任何其他的描寫，也並沒有做其他任何描寫。世貿雙塔成為人類苦難的誠實見證。

（而正是為此，二〇〇一年九月十一日，當史托克豪森[2]說他們身體的墜落是二十世紀最偉大的美學事件時，他遭到了全世界人民的唾棄，這當然是情理之中的事。那種說法是偽智慧、缺乏同情心的表現。因此，他比小布希多犯了一個錯誤，後者從未聲稱自己有智慧。災難之美只存在於影片中。如果我們覺得《2012》中描繪洛杉磯在地震中倒塌的電影特效十分壯美，那是因為我們知道它是異想天開的幻想。如果有人看到碎骨頭穿出大腿的實況特寫鏡頭，那麼我們就會產生恐懼）

這兩類書面作品的根本區別在於兩者與死亡之間的關係。文學談論死亡，新聞談論死者。文學可以談談不討人喜歡的事情，新聞卻不想令人反感。因此新聞不談論死亡，而是談論死者。正是因為有些死者合乎人們的心意，使人心生同情卻非激動之情；那是一些與我們相距遙遠的死者，一些得了我們不曾得過的疾病而死亡的人；一些只與我們的慈善事業、我們的美德有關的死者，而非我們內心情感世界所關注的已逝者。

1 傑・麥克南尼（Jay McInerney，一九五五～），美國作家。

2 卡爾海因茲・史托克豪森（Karlheinz Stockhausen，一九二八～二〇〇七），德國作曲家。

在紙張以外的其他介質上閱讀

Lire sur autre chose que du papier en volumes

認為文學是純粹的這種想法很簡單，而談論造就文學的物質條件似乎顯得粗俗。藝術的物質條件對其形式有一定的影響。包括支付作家酬勞的方式（「其實，人們並不支付薪水給作家：根據時代的不同，人們或優或劣地供養著作家。」尚－保羅．沙特，《什麼是文學》），但尤其是文字的載體。漢默拉比法典難道不是因為刻在石碑上而更加堅不可摧嗎？

古羅馬的拉丁文作品是撰寫於卷軸上的書籍。閱讀方式也因而不同於現今。有些東西少了，有些東西則多了。那時的人們無法翻閱這些書。甚至翻閱這個動詞也不存在，因為那些書並非寫在一頁一頁的紙張上。展開卷軸必然導致閱讀的速度更加緩慢，注意力更為集中。但要避免為了找到某個段落而不得不重新攤開卷軸的苦役！因此，其書寫方式也不同於今世。在寫作之前，寫作者曾經是讀者。他多多少少有意識地掌握了某種共同的閱讀節奏，因此他書寫的內容重整體、輕細節，而整體制約著細節。在古代，作品更加缺乏連貫性——生活在技術化時代的我們常常指責古代作品的這一缺陷。詩歌、格言、對話錄；對數個人物的連續冒險經歷的敘述被稱為小說，它難以實現。寫小說的可能性如此之小，以至於當時的人們幾乎從未有過這個念頭。佩特隆內的天才創舉就是他天才地首創了新的寫作形式。寫一部小說。如同一切極端大膽的舉動一般，這個大膽的創舉起初一直孤掌難鳴，因為它看似與那些愚蠢言行——那些遊手好閒之徒、瘋子、宗教狂、隱士和那些笑嘻嘻的無用的討厭鬼們的愚蠢言行——並無不同。因此它需要時間等待其他小說的出現，在此期間《諷世書》只能留待業餘發明家們客廳角落裡的蜘蛛來閱讀了。那時也有一些小說，不過都是講述將軍們軍事生涯的英雄主義故事，例如當時拜占庭的數十本關於亞歷山大大帝的《亞歷山大傳奇》（*Romans d'Alexandre*），其出現的規律性如同英國的莎士比亞傳記作品或者美國各種有關甘迺迪總統的生平評傳。我們因為失去卷軸書籍而失去了某些東西，我們也贏得了其他東西。因為電子書和 iPhone 的出現，閱讀史詩一般的小說的人數減少了，寫小說的人也就更少了。假使蘋果手機有編輯程式，輕輕點擊方框，螢幕上就會出現一個圖像，建議我在那上面發表詩歌，那麼我會改變創作詩歌的方式嗎？唯一令人擔憂的就是螢幕上不能出現旁註，不過現實已然在發生變化，而讀者將會重新把這種新型的閱讀工具歸為己有。小說可能取決於成冊的書，而文學並不取決於紙張。這個小變色龍比粱龍那些龐然大物更強壯結實，後者因為高達三十五公尺而自以為是不死之身，卻因為冷天氣的首次襲擊而喪生於感冒。讀過達爾文的作品後，詩人正在隨機應變。其座右銘是：「天空烏雲密布。我們來寫暴風雨吧。」

為什麼不讀書？

Pourquoi ne pas lire ?

a. 因為行事的分寸

讀書，讀書，這非常好，可是有些時候並不適合讀書。比方說，在做愛之後。剛剛離開伴侶的身體時，我們身上餘留著對方的些許影響，或者更準確地說，我們身上保留著某種令人陶醉又轉瞬即逝的魅力，然而我們卻要立刻去尋找另一種魅力，就好像之前沒發生過任何十分重要的事情，好像瞬時與持久是兩相對立的，好像做為精神活動的閱讀（其中並非沒有感覺）要嘛是為消除疲勞，要嘛比身體活動（精神並未從中缺席過）更重要。「現在，你和艾莉・德・盧卡-一起在背著我偷情嗎？」

b. 因為行動的積極性

一些蘇格蘭朋友拒絕讀《哈利波特》，它的廣告如蜜糖般黏纏著他們的國家。遊客們參觀（諾森伯蘭公爵們的）安尼克城堡，因為電影是在那裡拍攝的；在蘇格蘭，到處都有人出售「哈利波特」的相關產品。這部小說曾經被視為一部予人以好感的書，因為它帶動了孩子們的讀書熱情，現在則成為人們的一個創傷：它也推動了成年人去閱讀它。某些書如同某些人有時解禁了一個社會慣例。它起初看起來很酷，其實只是一個蹩腳貨。J・K・羅琳解放了全世界成年人的拘謹，於是這些以剛成年的讀者們為對象的小說入侵了年長者的世界。我們可以就此寫一部《論自願的智力倒退》。

《哈利波特》系列的最後一部於二〇〇七年某一天的午夜零時整在英國數千家書店首次發行，活動還包括了作者在愛丁堡選讀書中若干片段。這是一種商業推銷行為，其令人反感的程度可以與雪鐵龍的畢卡索汽車促銷活動相媲美。為了金錢而辱沒人格的朗讀。如果說該國的城堡藉口需要維修屋頂而正在變成遊樂園，那麼最好將城堡的屋頂全部夷平。此舉可以做為亨利八世命人將天主教堂掃蕩一空的震撼場面的補充，那些教堂如同突然無法動彈的恐龍骨架，剔肉去骨、洞穿鏤空地矗立於那個暴力國家的綠色草坪上。我們在他們的遊樂園裡讀書。

c. 因為愚蠢的迷信

我有很長一段時間避而不讀艾維・吉伯[2]撰寫的那本關於愛滋病的書，《給那沒有救我的朋友》（*A l'ami qui ne m'a pas sauvé la vie*，一九九〇），是因為迷信，或者因為咒誓：我不想瞭解這種自己有可能會感染的疾病。書中那些褊狹怨恨的時刻令人震驚。我們可以理解，患上致命疾病的人最終會對他人發生興趣，而不是關注自身，然而作者並非如此。自閉、暴怒而非寬恕，總之，令人憎惡那種疾病的所有一切。這支佔據了病人身體的軍隊使人的思想變得狹隘，並且作者留給讀者的感覺是，與灰心喪氣抗爭的似乎除了尖酸刻薄外沒有其他任何東西。之前身體健康的吉伯並非就是極其寬容之人。不過他寫了一些好書。如同極度渴望成名的花季少女一般孤芳自賞，並且小心翼翼地戒備著那個正竊取自己明星光環的疾病，他曾經嘗試過採取一定的行動，與它抗爭，賦予它某種形態，它，那種身不由己地向著醜陋發展的變化過程。當他那些刺耳的惡意話語愈演愈烈時，其喋喋不休引人注目，如同一個致力於殺死舊敵的患了譫妄病的傢伙，他的幽默具有強烈的諷刺意味，令讀者不禁憐憫起他那顆受傷的心靈。在那部講述他逗留於梅迪奇別墅的日子的小說《隱名埋姓》（*L'Incognito*）裡，有怪異、輕浮，沒有用來復仇的憎恨；唯有如他那樣極為敏感的人才能描摹出馬杜、費斯圖奈特、克拉里奈特、呂羅娜和弗爾貝茲[3]的狹隘心理，這些隱名埋姓的遊戲如同童話一般逗趣。吉伯現在與我之前提到的貝爾納－瑪利．寇泰斯[4]在一起，以及，從某種程度上說，與尚．艾努茲[5]一起，後者是一九八五至一九九〇年間曾在法國以辭藻華麗浮誇著稱的新古典主義風格的宣導者之一。艾努茲的作品有時空泛無物，但並不總是如此，有些時候則有著冷靜優美的抒情風格，瑪利－約瑟夫．謝尼耶[6]有否可能是他的一個恰當對照呢？吉伯對詞語，更確切地說，對動詞有著敏銳的直覺：「在街頭拉客的妓女們沒有為那兒的豐富街罵煽風點火」，而那句「胸部無需努力的男扮女裝者」表達得多好啊！我也同樣沒有忘記那本書的另外兩句話，如果我們在讀完一本書後仍然記得書中的一些語句，我們難道不能稱之為一次成功的閱讀嗎？這些句子恍若抽屜裡的紗巾，永不褪色，皺褶裡永遠留存著思想、感動的甜美滋味。

d. 為了不再因不值一讀的作品而感到不快

我曾試圖閱讀由新法蘭西雜誌出版社出版的塞利納的《通信集》（*Lettres*），這是別人向我推薦的一百零八年以來的一部傑作。好吧，除了與抱怨形影不離的辱罵，這是曾是《茫茫黑夜漫遊》（*Voyage au bout de la nuit*）作者的這位唉聲嘆氣的老傢伙的一貫做法，我在書中讀到了他於一九四八年二月十八日寫給尚．波隆的信，我在其中看到了下述放肆言語：「在下一家屠宰場開張時，我向您保證大家會發現我身在屠夫的陣營……永遠不再是被屠宰的小牛犢那方……」而且，彷彿這樣還不夠，彷彿必須勸說自己相信它，並且傷感那個他主張滅絕猶太人的距今並不很遙遠的時代，他又重複道：「永遠不再。」一個曾經在屠夫們的陪伴下度過了相當長時間的人[7]，不是嗎，正如他那出版於「七星文叢」的《通信集》所提供的千百次證明那樣，下面就是一個證明，這是《通信集》裡的唯一一封他寫給二戰時期與敵人合作的法國人頭目多里奧[8]的信，寫於一九四二年：「猶太人從來都不是獨自一人站在跑道上！一個猶太人，就等於全體猶太人。（……）一隻白蟻：整個白蟻巢。」塞利納對於他的仁慈給他人造成的痛苦無動於衷，卻因為二戰後自己曾在哥本哈根服刑十八個月而專門為自己策劃了呻吟專刊，更何況在那十八個月的時間裡，僅僅在監獄度過了十二個月，另外六個月他都住在醫院裡。可是他仍然抱怨，他反覆抱怨，他無數次地抱怨，而與此同時，在法國，他的那些與敵人合作的朋友，那些人都是要嘛自殺要嘛被處決，正如貝納德·法朗克[9]曾經寫的那樣，在哪本書裡，我得找一找。我言歸正傳。如果說曾經有作家被剝奪了榮譽，那就是路易-費迪南·塞利納（一八九四～一九六一）。他寫給尚・波隆的那封信在新法蘭西雜誌出版社版本的《通信集》的第四十七頁，我在讀到那封信後立即闔上了那本書，並且永遠沒再翻開它。我沒有那麼多的時間浪費在這樣的政客身上。我們有的時候付出了太多的時間，亦即我們一生中的太多時間，浪費在一些不值得我們閱讀的作家的作品上。

他們，以及他們四周追逐他們的人群，以及那些站在他們的斑禿頭頂上成就自己事業的專家們，以及那些因為沒有替他們吹噓而可能擔心自己錯過一頭猛獸的批評家們，上述幾種人所策劃的傳聞助長了那些雖有才華卻過度狂妄的人一直留存至今，這不利於那些悄然無聲的有才之士的成長。唉，世人更注意傳聞而非思考。而這就是為什麼我們現在表現得極為愚蠢，而不是像阿亞圖拉們[10]那樣閉門在家，他們的信徒必定會到隱居之地來拜訪他們。哈！不只一人曾經獨自待在庫姆[11]，只有呼嘯著穿過骷髏肋骨的風來拜訪他，這時綁在枕骨上的頭巾在怒號的狂風下噼啪作響。與其有讀者卻讓他們從污水溝裡爬上來，不如一直沒有讀者。

e. 為了避免發瘋

當我們不斷妄想著詮釋一部作品時，別忘記應該停下來不讀它。我認為自己弄明白了關於作者的一切，那麼我就是愚蠢的人。同理，最好不要忘記我們的一無所知，因為這是事實，最好對自己說我們是愚蠢之人，因為，這很可能是事實，除此之外，這是唯一不變成瘋子的辦法。

f. 為了思考

不讀書的最佳理由，就是：為了思考。因為最終，我們用來讀書的所有時間中，我們就像是盤在吹笛舞蛇人面前的那條蛇。

g. 危險

我們可能會說：我讀書，因為它對我來說必不可少。讀書，如同呼吸。我無法放棄它。可惜的是，我認識一些偉大的讀者，他們早已不再這樣想了。但願那個並不存在的掌管讀書的神明，或者說我們或許能在自己身上發現的潛能，能夠使我免於這種命運。也許不能豁免。那麼，在一艘形似摩天大廈橫躺著的美國豪華遊輪的甲板上，我會身心放鬆、面帶微笑地閱讀下一次要參加的團體旅行活動目錄。

1 艾莉・德・盧卡（Erri De Luca，一九五〇～），義大利當代作家、詩人、翻譯家，二〇〇二年獲得法國費米納外國文學獎。

2 艾維・吉伯（Hervé Guibert，一九五五～一九九一），法國作家、記者。

3 以上均為小說《隱名埋姓》的人物。

4 貝爾納－瑪利・寇泰斯（Bernard-Marie Koltès，一九四八～一九八九），法國劇作家。

5 尚・艾努茲（Jean Echenoz，一九四七～），法國作家。

6 瑪利－約瑟夫・謝尼耶（Marie-Joseph Chénier，一七六四～一八一一），法國政治家和作家。

7 塞利納因發表過反猶太言論以及拒絕承認猶太人大屠殺，而成為文學史上頗具爭議的人物。

8 多里奧（Jacques Doriot，一八九八～一九四五），法國記者、政治家，後為納粹份子，二戰期間與德國納粹合作。

9 貝納德・法朗克（Bernard Frank，一九二九～二〇〇六），法國作家、記者。

10 阿亞圖拉（ayatollah）是對伊朗等國伊斯蘭教什葉派領袖的尊稱。

11 伊朗城市名，位於德黑蘭的東南部。

如何讀書？

Comment lire ?

我會回答：有方法地讀書。熱情是最合情合理的方法。

書

Les Livres

啊，我能有多愛書！它們的外形，它們的氣味，它們的應許。然而這外形是多麼平庸，氣味有時又是多麼難聞，令人失望！不過還是算了。因為，在別的時候，從這個稀鬆平常、白紙黑字一目瞭然的物件裡，最終會顯化出一個世界。這就是為什麼閱讀並非生活的對立面。閱讀即是生活。這種生活更嚴肅，但沒那麼激烈，少一分瑣屑輕浮，多一份穩定耐久，更多自恃的驕矜，更少空虛的自負，同時往往伴隨著各種弱點，驕傲、羞怯、壓抑、退縮。在功利主義的世界裡，閱讀為我們維繫著一種超然於現實的姿態，這有利於我們思考。

讀書毫無用處。正因如此，它才是一件偉大的事情。我們閱讀，因為它是無用的。想想吧，有些人在巴黎「CAC－40」的上市公司事業有成，但他這一生從未讀過任何東西！所以我們要善待那些擁有財富權勢的讀書人。他們本來可以不讀書而做點別的事情。

的確如此，讀書必不可少，很多人卻不知道這一點。於是他們在人生的道路上走著，用肺呼吸而令大腦窒息。

「文學」與她的姊妹「讀書」一同到一片叢林去。叢林的冷漠是一種敵意。「文學」如春天般活潑、冒失、嚴肅而柔弱。走在「文學」身旁，退後一步並握住「文學」的手，「讀書」時而全神貫注，時而漫不經心。有時候，她惱火地看著「文學」這個親戚，有時又忘記了「文學」，面帶微笑地自顧前行。還有些時候，她鬆開了「文學」的手，撿拾從樹上掉落下來的一本遭人遺忘的書，書的封皮如人體般在與「讀書」接觸的瞬間恢復了生機。她在撿起書時說了一句話：「書是一棵鑽出墳墓的大樹。」（阿佛雷德．賈里，《沙漏回憶錄》）。兩位仙女的雙足輕掠過大地，但她們的頭沒有觸碰到天空。她們結伴前行，密不可分。讀書是文學的組成部分，兩者就是生活。

當我一邊走路一邊讀書，我是在與死神較量，這跟任何一位讀者與死神的較量沒有區別，因為它是我們讀書的唯一的深層原因：向死神發起挑戰，與之決鬥。大眾的參與，有力地支持了這場由作家們身先士卒的戰鬥。說到底，作家其實是個充滿怨怒的、反民主的圈子，而從反民主到非人道之間並不遙遠（讀書，如同文學，如同議會制，是具有偶然性的；正確的事情總是意外發生，其肇始與發展皆非注定），這個圈子的人已做出判決：一切都完了。這讓我想起桃樂西．派克對一個年輕異議份子說的那句話：「別再把人生看成一片玫瑰色。」[2]一切終歸失敗，永遠如此，但人們並不屈服。作者和讀者結隊向著失敗前進，因為儘管最後總是死神獲得勝利，藝術卻最能持久地與之抗衡。偉大的帝國化為歷史的煙塵，我們再也記不起它們的名字，歷史留給我們的是千年以前詩人的作品。死亡是一種忘卻，當然如此，但它更將生命一筆簡化。讀書為我們還原了生命那些值得崇拜的紛繁駁雜，由它們來對抗死神的傀儡。圖書館是墓地唯一的競爭對手。

讀者的書，他的閱讀，與他一同死去。至少看似如此。我還記得祖母熱忱地談斯湯達爾。讀書如同一切傳承那樣被傳繼到下一代，它超越了傳播者本身。它在一剎那間戰勝了死亡，儘管那一剎那轉瞬即逝。作家的作品僅僅延續了稍久一點的時間；馬列赫伯（Malherbe）所寫的「馬列赫伯書永存人間」（ce que Malherbe écrit dure éternellement）是個令人心痛的諷刺。書正在死去，一切文學也將死去，正如——我們不必到久遠的時空去尋找——正如伊特魯里亞人的文學，那些距今不到三千年的義大利人，我們對他們一無所知。而死神這個下巴沾著鮮血的胖子欣喜若狂，因為伊特魯里亞人的後世弟兄們不會為那消逝的文學流一滴眼淚。什麼，一滴眼淚都不流？連一個那樣的念頭都沒有。當死神勝利時，死神就獲得了勝利。因此請你們參加我那可悲可歎的戰鬥並加入那個正在讀書的弱勢群體吧。

當紙質讀物最終消失，那些牢騷滿腹的人會帶著痛苦的滿足感挖苦道：我早就料到了；我們則反問：那又有什麼關係？我們早已不再看古羅馬的卷軸書，僅有少數淵博的學者知道它們曾經出現過，但古羅馬的文學依然存在，部分地存在著。比滿腹牢騷者更悲觀的人會說，資訊化將更周全地為權貴服務，他們可以把人類安置在越來越狹小的公寓裡，因為人類不再需要圖書館，而一切都存進了 iPad；

有朝一日，當所有這一切被濃縮成一個極小的小紅點，它將焦躁不安地閃著光，

然後，亮光斷斷續續、越來越少，

它，

終將熄滅。

因為再也不讀書，人類將重返自然狀態，與動物無異。那位萬能的、未開化的、親切的、溫存和藹的暴君將會在懸垂於地球之上的彩色螢幕裡微微笑著。

1 CAC－40指數，是指在法國巴黎證券交易所上市的四十家公司的股票報價指數。

2 法語原文 Arrêtez de voir la vie en rose，直譯為「別再透過玫瑰色看人生」，引申為：別再把生活看得很美好。

圖片來源

P042 : Brandon Thibodeaux / Getty images.

P053 : DR.

P060 ： Riton la Mort.

P063 ： Scott Eklund / *Seattle Post-Intelligencer* d/b/a Seattlepi.com.

P067 : René Magritte, *La Lectrice soumise*, 1928 © Photothèque René Magritte – ADAGP, Paris 2010.

P090 : The Granger Collection NYC / Rue des Archives.

P128 : Pablo Picasso, *Femme lisant*, 1920 Pablo Picasso / Musée des Beaux-Arts de Grenoble © Peter Willi / Bridgeman Giraudon © Succession Picasso 2010.

P129 : Roger de La Fresnaye, *Homme lisant*, vers 1910-1920 © Collection Centre Pompidou, dist. RMN / Jacques Faujour ; Jacob Jordaens, *Portrait d'homme*, dit autrefois *Portrait de l'amiral Michel-Adrien Ruyter* © RMN / Stéphane Maréchalle.

P130 : Vincenzo Foppa, *Le jeune Cicéron lisant*, vers 1464 © Wallace Collection London, UK / Bridgeman Giraudon.

P131 : Danny Lyon / Magnum Photos.

P137 : Allori Angelo di Cosimo *dit* Bronzino, *Portrait d'un jeune homme*, dans les années 1530 © The Metropolitan Museum of Art, dist. RMN / image MMA.

P185 : E.O. Hoppé / Corbis.

P238 : Rue des Archives / i. ; Carlo Bavagnolli / Time Life Pictures / Getty Images.

P239 : Fox Films / Album / AKG. ; Michael Ochs Archives / Getty Images.

P301 : Fernando Vicente.

P302 : Kurt Vonnegut Jr. Trust. ; Xavier Salvador Ramisa.

P303 : © Junior Lopes. ; Antonelli / Iconovox.

P309 : Le Maréchal Lyautey © Association nationale Maréchal Lyautey.

國家圖書館出版品預行編目 (CIP) 資料

為什麼讀書？: 偉大讀者的必然與非必然 / 夏爾 . 丹齊格 (Charles Dantzig) 著 ; 閻雪梅譯 . -- 初版 . -- 臺北市 : 橡實文化出版 : 大雁文化發行 , 2015.01
面； 公分
譯自 : Pourquoi lire?
ISBN 978-986-5623-04-3(平裝)
1. 讀書 2. 文集
019.07 103026791

BN0004
為什麼讀書？
偉大讀者的必然與非必然
作者：夏爾・丹齊格
譯者：閻雪梅
特約編輯：楊曖曖
美術設計：雅堂設計工作室

發行人：蘇拾平
總編輯：蘇拾平
副總編輯：于芝峰
主編：田哲榮
行銷：郭其彬、王綬晨、黃文慧、邱紹溢、陳詩婷、張瓊瑜
出版：橡實文化 ACORN Publishing
臺北市 10544 松山區復興北路 333 號 11 樓之 4
電話：02-2718-2001　傳真：02-2718-1258
網址：www.acornbooks.com.tw
E-mail 信箱：acorn@andbooks.com.tw

發行：大雁文化事業股份有限公司
臺北市 10544 松山區復興北路 333 號 11 樓之 4
電話：02-2718-2001　傳真：02-2718-1258
讀者傳真服務：02-2718-1258
讀者服務信箱：andbooks@andbooks.com.tw
劃撥帳號：19983379；戶名：大雁文化事業股份有限公司

香港發行 大雁（香港）出版基地・里人文化
地址：香港荃灣橫龍街 78 號正好工業大廈 22 樓 A 室
電話：852-2419-2288　傳真：852-2419-1887
Email 信箱：anyone@biznetvigator.com

印刷：中原造像股份有限公司
初版一刷：2015 年 1 月
ISBN 978-986-5623-04-3 (平裝)
定價 350 元